히브리어 쓰기성경

תהלים

- 시편 (제5권) -

107편 ~ 150편

언약성경연구소

케타브 프로젝트: 히브리어 쓰기성경 – 시편 제5권

발 행 | 2024년 2월 29일
저 자 | 이학재
발행인 | 최현기
편집 · 디자인 | 허동보

등록번호 | 제399-2010-000013호
발행처 | 홀리북클럽
주 소 | 경기도 남양주시 진접읍 내각2로12 (070-4126-3496)

ISBN | 979-11-6107-058-2
가 격 | 21,400원

כתב Project 히브리어쓰기성경

תהלים

- 시 편 (제5권) -

107편 ~ 150편

영·한·히브리어
대역대조 쓰기성경

언약성경연구소

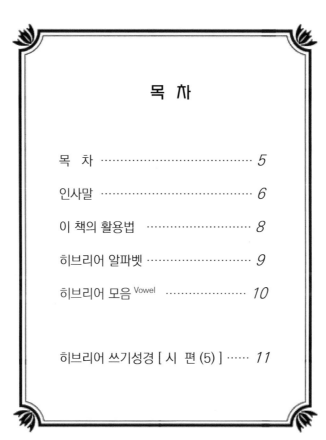

목 차

목 차 ······························· 5

인사말 ······························· 6

이 책의 활용법 ························ 8

히브리어 알파벳 ························ 9

히브리어 모음 Vowel ····················· 10

히브리어 쓰기성경 [시 편 (5)] ······ 11

"시편"은 다윗 왕과 그 외 시인들의 하나님을 향한 기도와 찬양, 고백, 희생에 관한 시들로 이루어져 있습니다. 시편은 총 150편으로 이루어져 있으며, 그 내용과 특성에 따라 다섯 권으로 나눕니다.

· 제1권: 1-41편 · 제2권: 42-72편 · 제3권: 73-89편,
· 제4권: 90-106편 · 제5권: 107-150편

5

이학재 Lee Hakjae · Covenant University 부총장
· 월간 맛싸 대표 · 맛싸성경 번역자 · 언약성경협회장

성경은 말씀으로 읽고 소리내서 낭독하는 훈련이 필요하다. 또한 성경은 precept, 즉 글로 적은 글이다. 십계명도 하나님께서 적어 주신 것이고 구약성경, 신약성경 모두다 사람들이 손으로 필사하여 전해온 것이다. 특히 시편에서는 하나님의 말씀을 '호크'규례. 교훈라고 부르는데 이것은 '하카크' 즉 '새기다, 기록하다'는 의미이다. 성경은 1455년에 라틴어를 출간하기까지 구약은 서기관들에 의해서 두루마리에 필사를 통해서 기록되었고 신약 역시 대문자, 소문자 등을 통해서 손으로 직접 적었다.

이같은 성경은 소리내 읽는 '낭독'과 글로 적는 '호크'precept로 기록된 말씀이다. 물론 타자를 치는 필사를 비롯하여 다양한 방법이 있지만, 특히 AI 시대에는 주관성과 개인의 특성을 가진 영성이 품어 나오는 적기 성경 즉 '필사 성경'이 필요하다. 시중에 한글 필사성경, 영어 등은 이미 출판되어 있지만 원문 필사는 아직 나오지 않았다. 원문 필사를 위해서는 원문만 넣을 것이 아니라 한글의 공적성경개역. 개역개정과 또한 사역이지만 원문에서 번역한 것이 필요한데 이런 면에서 '맛싸 성경'은 중요한 역할을 할 것이다. 아울러 영역본도 함께 제공되어 원문과 함께 번역본들을 보게 되고 자신의 필사 성경도 각권으로 남게 될 것이다.

성경을 적는다는 것은 참으로 중요하다. 기도하면서 성경에서도 달려가면서도 성경을 읽게 하라는 말씀은 성경에도 기록되어 있다하박국 2장. 많은 사람들이 성경을 덮어두거나, '말아 놓았다'. 이제는 적어서 펼쳐 놓아야 한다. 이런 면에서 족자, 액자들 성경 원문 쓰기를 통해서 원문을 보고 묵상하고 더욱 말씀을 가시적으로 보며 그 말씀의 생명력을 가지는 삶을 살아야 할 것이다. 이 모든 것이 '적는 것'כתב 케타브에서 시작된다. 이 시리즈는 구약 전권 신약 전권의 '쓰기', '적기'를 출간하는 것으로 생각하고 있다. 매일 일정한 양을 쓰면서 원문을 자유롭게 이해하고 원문의 바른 의미, 성경의 의미를 바르게 이해해서 말씀에 근거를 둔 그러한 건강한 말씀 중심의 삶을 살아가시기를 소원한다.

2023년 8월 10일

허동보 ^{Huh Dongbo} · 수현교회 담임목사   · Covenant University 통합과정 중
· 왕초보 히브리어 저자 및 강사

교회 역사는 대부분 이단으로부터 교회를 보호하는 역사였습니다. 사도들과 교부들의 가르침, 공의회를 통한 결정들은 우리 신앙의 선배들이 이단으로부터 교회를 지키고자 목숨까지 걸었던 몸부림이라고 해도 과언이 아닙니다. 그 신념, 그 몸부림의 근거는 바로 성경이었습니다. 하나님의 말씀이자 우리 신앙생활의 원천인 성경은 수천년이 지난 이 시대를 살아가는 우리가 쉽게 읽을 수 있도록 전문가들을 통해 비교적 잘 번역되어 있습니다. 그럼에도 불구하고 말씀을 사랑하고 매일 묵상하는 우리 그리스도인들이 히브리어와 헬라어를 배워야 하는 까닭은 무엇일까요?

첫째로 지금도 교회를 노리고 핍박하는 이들로부터 주님의 몸 된 교회를 지키기 위해서입니다. 아무리 번역이 잘 되었다고 하더라도 해당 언어가 가진 고유의 뉘앙스와 의미를 동일하게 전달하는 것은 불가능합니다. 따라서 우리는 원전을 살펴봄으로써 말씀에 대한 왜곡과 오해를 헤쳐 나가야 합니다. 둘째로 언어의 한계성 때문입니다. 성경이 쓰여지던 시기의 사회적 배경과 문학적 장치들을 더 잘 전달받기 위해서 우리는 히브리어와 헬라어를 배워야 합니다. 우리는 해당 언어를 통해 한글성경에서 느끼기 힘든 시적 운율과 다양한 의미들을 더욱 세밀하게 들여다볼 수 있으며, 이 과정에서 더 큰 은혜를 느낄 수 있습니다. 셋째로 말씀을 사모하기 때문입니다. 다른 언어를 배운다는 것은 쉽지 않습니다. 그 어려움보다 말씀에 대한 사모가 더욱 간절하기에 우리는 기꺼이 시간과 노력을 할애할 수 있습니다. 이는 마치 해리포터를 사랑하는 사람이 영어를 배우고, 톨스토이를 사랑하는 사람이 러시아어를 배우는 것처럼 원전에 더 가까워지고자 하는 욕망은 말씀을 사모하는 이들이라면 거스를 수 없을 것입니다.

이런 관점에서 언약성경협회와 언약성경연구소의 사역은 하나님의 말씀을 열정적으로 소망하는 우리 그리스도인들에게 있어서 꼭 필요한, 그리고 꼭 이루어 나가야 할 사명이 아닌가 합니다. 이에 말씀을 사모하는 많은 분들이 케타브 프로젝트에 동참하길 소망합니다. 아울러 이학재 교수님을 통해 영광스럽게도 편집과 디자인으로 이 프로젝트에 동참하게 된 것에 대해 주님께 감사드립니다.

편집자

히브리어쓰기성경 활용법

이 책의 구조와 활용법에 대해 알려드립니다.

1. 왼쪽 페이지는 히브리어 성경인 WLC역 본과 더불어 맛싸성경과 함께 영문역본 NET2를 대조하였습니다.

   - 맛싸성경은 저자 이학재 교수가 원문성경 에서 직접 번역한 번역물로 번역 저작물이 저작권협회에 접수된 개인 번역입니다.

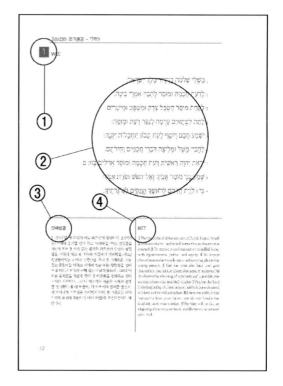

2. 왼쪽 페이지 좌상단에 위치한 숫자는 각 장을 말합니다. 각 절은 본문에 포함되어 있습니다.

   ① 몇 장인지 나타냅니다.
   ② WLC 본문입니다.
   ③ 맛싸성경 본문입니다.
   ④ NET2 본문입니다.

3. 여백을 넉넉히 두어 필사와 함께 성경공부를 위한 노트로 사용할 수 있습니다.

* 히브리어쓰기성경을 통해 하나님의 은혜가 더욱 풍성하고 가득한 신앙의 여정이 되시길 소망합니다.

히브리어 알파벳

형 태	이 름	꼬리형	형 태	이 름	꼬리형
א	알렙		מ	멤	ם
ב	베트		נ	눈	ן
ג	기믈		ס	싸멕	
ד	달렛		ע	아인	
ה	헤		פ	페	ף
ו	바브		צ	차디	ץ
ז	자인		ק	코프	
ח	헤트		ר	레쉬	
ט	테트		שׂ	신	
י	요드		שׁ	쉰	
כ	카프	ך	ת	타브	
ל	라메드				

히브리어 알파벳송

알 - 렙 벳 기-믈 달 - 렛 헤 바 - 브 자 - 인 헬 테 - 트 요-드 카-프
א ב ג ד ה ו ז ח ט י כ
라-메드 멤 - 눈 - 싸 - 멕 아인 페 차 - 디 코프 레 - 쉬 신 쉰 타 - 브
ל מ נ ס ע פ צ ק ר שׂ שׁ ת

히브리어 모음 vowel

	A 아	E 에	I 이	O 오	U 우
장모음	אָ	אֵ		אֹ	
	카메츠	체레		홀렘	
		אֵי	אִי	אוֹ	אוּ
		체레요드	히렉요드	홀렘바브	슈렉
반모음	אֲ	אֱ		אֳ	
	하텝파타	하텝세골		하텝카메츠	
단모음	אַ	אֶ	אִ	אָ	אֻ
	파타	세골	히렉	카메츠하툽	케부츠
		אְ			
		쉐바			
י가 자음으로 쓰일 때	יָ יַ	יֶ יְ יֵ	יִ	יֹ יוֹ	יוּ יֻ
	야	예	이	요	유

히브리어 모음 vowel 은 단순합니다. 아, 에, 이, 오, 우 발음밖에 없습니다. 하지만, 그 형태가 몇 가지 있는데, 장모음, 단모음, 반모음 등으로 나누어집니다. 장모음은 말 그대로 길게 소리를 내는 모음입니다. 단모음은 짧게 소리를 내는 모음입니다. 그러나 현대에는 장 · 단모음과 반모음을 크게 구분하여 사용하지는 않는다고 합니다. 다만, :쉐바 발음은 조금 주의가 필요합니다. :쉐바는 '에' 발음일 때도 있지만, 묵음이 되는 경우도 있기 때문입니다.

תהלים

-시 편-

제 5 권

107 편 ~ 150 편

107 WLC

1 הֹדוּ לַיהוָה כִּי־טוֹב כִּי לְעוֹלָם חַסְדּוֹ׃

2 יֹאמְרוּ גְּאוּלֵי יְהוָה אֲשֶׁר גְּאָלָם מִיַּד־צָר׃

3 וּמֵאֲרָצוֹת קִבְּצָם מִמִּזְרָח וּמִמַּעֲרָב מִצָּפוֹן וּמִיָּם׃

4 תָּעוּ בַמִּדְבָּר בִּישִׁימוֹן דָּרֶךְ עִיר מוֹשָׁב לֹא מָצָאוּ׃

5 רְעֵבִים גַּם־צְמֵאִים נַפְשָׁם בָּהֶם תִּתְעַטָּף׃

6 וַיִּצְעֲקוּ אֶל־יְהוָה בַּצַּר לָהֶם מִמְּצוּקוֹתֵיהֶם יַצִּילֵם׃

7 וַיַּדְרִיכֵם בְּדֶרֶךְ יְשָׁרָה לָלֶכֶת אֶל־עִיר מוֹשָׁב׃

맛싸성경

1 여호와께 (감사로) 노래하라. 그분은 선하시며 그분
의 인애가 영원하심이라. 2 여호와께 구속받은 자들
은 (이같이) 말할 것이라. (그분이) 그들을 대적의 손
에서 구속하셨고 3 동쪽과 서쪽에서 북쪽과 남쪽에서
땅들에서부터 그들을 불러 모으셨도다. 4 그들이 광
야의 사막 길에서 길을 잃고 거주할 성읍을 찾지 못하
여 5 배고프고 목말라 그들의 영혼이 그것들 속에서
연약하였도다(기력이 없었도다). 6 그들이 그들의 고
난 중에 여호와께 부르짖었으니 주께서 그들의 고통
에서 그들을 구출하셨도다. 7 그들을 바른길로 걷게
하셔서 거주할 성읍에 가도록 하셨도다.

NET

1 Give thanks to the Lord, for he is good, and his
loyal love endures. 2 Let those delivered by the Lord
speak out, those whom he delivered from the power
of the enemy 3 and gathered from foreign lands,
from east and west, from north and south. 4 They
wandered through the wilderness, in a wasteland;
they found no road to a city in which to live. 5 They
were hungry and thirsty; they fainted from
exhaustion. 6 They cried out to the Lord in their
distress; he delivered them from their troubles. 7 He
led them on a level road that they might find a city
in which to live.

8 יוֹד֣וּ לַיהֹוָ֣ה חַסְדּ֑וֹ וְ֝נִפְלְאוֹתָ֗יו לִבְנֵ֣י אָדָֽם׃

9 כִּֽי־הִ֭שְׂבִּיעַ נֶ֣פֶשׁ שֹׁקֵקָ֑ה וְנֶ֥פֶשׁ רְ֝עֵבָ֗ה מִלֵּא־טֽוֹב׃

10 יֹ֭שְׁבֵי חֹ֣שֶׁךְ וְצַלְמָ֑וֶת אֲסִירֵ֖י עֳנִ֣י וּבַרְזֶֽל׃

11 כִּֽי־הִמְר֥וּ אִמְרֵי־אֵ֑ל וַעֲצַ֖ת עֶלְי֣וֹן נָאָֽצוּ׃

12 וַיַּכְנַ֣ע בֶּעָמָ֣ל לִבָּ֑ם כָּ֝שְׁל֗וּ וְאֵ֣ין עֹזֵֽר׃

13 וַיִּזְעֲק֣וּ אֶל־יְ֭הֹוָה בַּצַּ֣ר לָהֶ֑ם מִ֝מְּצֻ֖קוֹתֵיהֶ֣ם יוֹשִׁיעֵֽם׃

14 יֽ֭וֹצִיאֵם מֵחֹ֣שֶׁךְ וְצַלְמָ֑וֶת וּמוֹסְר֖וֹתֵיהֶ֣ם יְנַתֵּֽק׃

맛싸성경

8 주의 인애와 사람의 자녀들에게 하신 그분의 놀라운 일로 그들로 여호와께 (감사로) 노래하게 하라. 9 이는 주께서 갈급한 영혼을 만족시키시며 갈망하는 (배고픈) 영혼을 좋은 것으로 채워 주시기 때문이로다. 10 사람들이 어둠과 (사망의) 그늘에 살며 가난함과 쇠사슬에 매인 자들이니 11 이는 그들이 하나님의 말씀을 반역하고 지극히 높으신 분의 뜻(조언)을 멸시하였기 때문이로다. 12 그러므로 주께서 그들의 마음을 수고함(노동)으로 낮추시니 그들이 넘어졌으나 도울 자가 없도다. 13 그때 그들이 고난 중에 여호와께 부르짖었으니 주께서 그 고통에서 그들을 구원하셨도다. 14 주께서 어둠과 (사망의) 그늘에서 그들을 이끌어내시고 그들의 속박을 그분이 찢어 주셨도다.

NET

8 Let them give thanks to the Lord for his loyal love and for the amazing things he has done for people. 9 For he has satisfied those who thirst, and those who hunger he has filled with food. 10 They sat in utter darkness, bound in painful iron chains 11 because they had rebelled against God's commands and rejected the instructions of the Most High. 12 So he used suffering to humble them; they stumbled and no one helped them up. 13 They cried out to the Lord in their distress; he delivered them from their troubles. 14 He brought them out of the utter darkness and tore off their shackles.

15 יוֹדוּ לַיהוָה חַסְדּוֹ וְנִפְלְאוֹתָיו לִבְנֵי אָדָם׃

16 כִּי־שִׁבַּר דַּלְתוֹת נְחֹשֶׁת וּבְרִיחֵי בַרְזֶל גִּדֵּעַ׃

17 אֱוִלִים מִדֶּרֶךְ פִּשְׁעָם וּמֵעֲוֺנֹתֵיהֶם יִתְעַנּוּ׃

18 כָּל־אֹכֶל תְּתַעֵב נַפְשָׁם וַיַּגִּיעוּ עַד־שַׁעֲרֵי מָוֶת׃

19 וַיִּזְעֲקוּ אֶל־יְהוָה בַּצַּר לָהֶם מִמְּצֻקוֹתֵיהֶם יוֹשִׁיעֵם׃

20 יִשְׁלַח דְּבָרוֹ וְיִרְפָּאֵם וִימַלֵּט מִשְּׁחִיתוֹתָם׃

21 יוֹדוּ לַיהוָה חַסְדּוֹ וְנִפְלְאוֹתָיו לִבְנֵי אָדָם׃

22 וְיִזְבְּחוּ זִבְחֵי תוֹדָה וִיסַפְּרוּ מַעֲשָׂיו בְּרִנָּה׃

맛싸성경

15 주의 인애와 사람의 자녀들에게 하신 그분의 놀라운 일로 그들로 여호와께 (감사로) 노래하게 하라. 16 이는 주께서 놋 문들을 부수시고 쇠 빗장을 잘라버리셨기 때문이로다. 17 어리석은 자들은 그들의 위반의 길과 그들의 죄책으로 고통을 당하니 18 그들의 영혼은 어떤 음식이든지 역겨워하며 죽음의 문들까지 이르렀도다. 19 그때 그들이 고난에서 여호와께 부르짖으니 주께서 그 고통에서 그들을 구원하셨도다. 20 주께서 자신의 말씀을 보내어 그들을 고치시고 구덩이에서 구하셨도다. 21 주의 인애와 사람의 자녀들에게 하신 그분의 놀라운 일로 그들로 여호와께 (감사로) 노래하게 하라. 22 (그들로) 감사 제물을 드리게 하며 (큰 소리) 노래로 주께서 하신 일을 선포하도록 하여라.

NET

15 Let them give thanks to the Lord for his loyal love and for the amazing things he has done for people. 16 For he shattered the bronze gates and hacked through the iron bars. 17 They acted like fools in their rebellious ways and suffered because of their sins. 18 They lost their appetite for all food, and they drew near the gates of death. 19 They cried out to the Lord in their distress; he delivered them from their troubles. 20 He sent them an assuring word and healed them; he rescued them from the pits where they were trapped. 21 Let them give thanks to the Lord for his loyal love and for the amazing things he has done for people. 22 Let them present thank offerings, and loudly proclaim what he has done.

107 WLC

23 יוֹרְדֵי הַיָּם בָּאֳנִיּוֹת עֹשֵׂי מְלָאכָה בְּמַיִם רַבִּים:

24 הֵמָּה רָאוּ מַעֲשֵׂי יְהוָה וְנִפְלְאוֹתָיו בִּמְצוּלָה:

25 וַיֹּאמֶר וַיַּעֲמֵד רוּחַ סְעָרָה וַתְּרוֹמֵם גַּלָּיו:

26 יַעֲלוּ שָׁמַיִם יֵרְדוּ תְהוֹמוֹת נַפְשָׁם בְּרָעָה תִתְמוֹגָג:

27 יָחוֹגּוּ וְיָנוּעוּ כַּשִּׁכּוֹר וְכָל־חָכְמָתָם תִּתְבַּלָּע:

28 וַיִּצְעֲקוּ אֶל־יְהוָה בַּצַּר לָהֶם וּמִמְּצוּקֹתֵיהֶם יוֹצִיאֵם:

29 יָקֵם סְעָרָה לִדְמָמָה וַיֶּחֱשׁוּ גַּלֵּיהֶם:

30 וַיִּשְׂמְחוּ כִי־יִשְׁתֹּקוּ וַיַּנְחֵם אֶל־מְחוֹז חֶפְצָם:

맛싸성경

23 그들은 배를 타고 바다에 내려갔고 많은 물들(대양)에서 일하였으며 24 여호와께서 하신 일과 깊은 곳에서 그분의 놀라우신 일들을 그들은 보았도다. 25 주께서 말씀하시며 폭풍 바람을 일으키셔서 파도를 치솟게 하시도다. 26 그들은 하늘에 올랐다가 깊은 곳들로 떨어지니 그 재난으로 그들의 영혼이 녹는도다. 27 그들은 술 취한 자처럼 비틀거리고 흔들리니 그들의 모든 지혜는 삼켜졌도다. 28 그때 그들이 고난에서 여호와께 부르짖으니 주께서 그 고통에서 그들을 이끌어내셨도다. 29 주께서 폭풍을 잠잠하게 하시니 그(것들의) 파도가 잔잔하게 되었도다. 30 그것들이 조용해짐으로 그들은 기뻐하고 주께서 그들을 그들이 바라던 항구로 인도하셨도다.

NET

23 Some traveled on the sea in ships and carried cargo over the vast waters. 24 They witnessed the acts of the Lord, his amazing feats on the deep water. 25 He gave the order for a windstorm, and it stirred up the waves of the sea. 26 They reached up to the sky, then dropped into the depths. The sailors' strength left them because the danger was so great. 27 They swayed and staggered like drunks, and all their skill proved ineffective. 28 They cried out to the Lord in their distress; he delivered them from their troubles. 29 He calmed the storm, and the waves grew silent. 30 The sailors rejoiced because the waves grew quiet, and he led them to the harbor they desired.

31 יוֹדוּ לַיהוָה חַסְדּוֹ וְנִפְלְאוֹתָיו לִבְנֵי אָדָם׃

32 וִירֹמְמוּהוּ בִּקְהַל־עָם וּבְמוֹשַׁב זְקֵנִים יְהַלְלוּהוּ׃

33 יָשֵׂם נְהָרוֹת לְמִדְבָּר וּמֹצָאֵי מַיִם לְצִמָּאוֹן׃

34 אֶרֶץ פְּרִי לִמְלֵחָה מֵרָעַת יֹשְׁבֵי בָהּ׃

35 יָשֵׂם מִדְבָּר לַאֲגַם־מַיִם וְאֶרֶץ צִיָּה לְמֹצָאֵי מָיִם׃

36 וַיּוֹשֶׁב שָׁם רְעֵבִים וַיְכוֹנְנוּ עִיר מוֹשָׁב׃

37 וַיִּזְרְעוּ שָׂדוֹת וַיִּטְּעוּ כְרָמִים וַיַּעֲשׂוּ פְּרִי תְבוּאָה׃

38 וַיְבָרְכֵם וַיִּרְבּוּ מְאֹד וּבְהֶמְתָּם לֹא יַמְעִיט׃

맛싸성경

31 주의 인애와 사람의 자녀들에게 하신 그분의 놀라
운 일로 그들로 여호와께 (감사로) 노래하게 하라. **32**
그들로 백성의 회중에서 주를 높이게 하고 원로들의
모임에서 주를 찬양하게 하여라. **33** 주께서는 강들을
사막(광야)으로 물이 나는 샘들을 메마른 땅으로 바꾸
시고 **34** (그분은) 그곳에 사는 사람들의 악함들 때문
에 기름진 땅을 소금(있는) 곳으로 바꾸셨도다. **35** 주
께서는 사막을 연못으로 마른 땅을 물이 솟는 샘으로
바꾸셔서 **36** 그곳에 굶주린 자들을 살게 하시니 그들
이 거주할 성읍을 건설하고 **37** (그들은) 들판에 씨를
뿌리고 포도(원)를 심으며 풍성한 소출을 거두었도다.
38 주께서 그들을 복 주시니 그들은 매우 번성하고 그
들의 가축도 적어지지 않게 하셨도다.

NET

31 Let them give thanks to the Lord for his loyal love and for the amazing things he has done for people. **32** Let them exalt him in the assembly of the people. Let them praise him in the place where the leaders preside. **33** He turned streams into a desert, springs of water into arid land, **34** and a fruitful land into a barren place, because of the sin of its inhabitants. **35** As for his people, he turned a desert into a pool of water and a dry land into springs of water. **36** He allowed the hungry to settle there, and they established a city in which to live. **37** They cultivated fields and planted vineyards, which yielded a harvest of fruit. **38** He blessed them so that they became very numerous. He would not allow their cattle to decrease in number.

107 WLC

39 וַיִּמְעֲטוּ וַיָּשֹׁחוּ מֵעֹצֶר רָעָה וְיָגוֹן׃

40 שֹׁפֵךְ בּוּז עַל־נְדִיבִים וַיַּתְעֵם בְּתֹהוּ לֹא־דָרֶךְ׃

41 וַיְשַׂגֵּב אֶבְיוֹן מֵעוֹנִי וַיָּשֶׂם כַּצֹּאן מִשְׁפָּחוֹת׃

42 יִרְאוּ יְשָׁרִים וְיִשְׂמָחוּ וְכָל־עַוְלָה קָפְצָה פִּיהָ׃

43 מִי־חָכָם וְיִשְׁמָר־אֵלֶּה וְיִתְבּוֹנְנוּ חַסְדֵי יְהוָה׃

맛싸성경

39 그들은 압제와 재앙과 슬픔으로 수가 줄고 비천하
게 되었을 때 **40** 주께서 귀인들 위에 멸시함을 쏟으
시고 길 없는 황무지에서 그들을 방황하게 하시지만
41 가난한 자는 곤경에서 높이 드시고 그(들의) 가족
을 양 떼같이 지키시도다. **42** 올바른 사람은 이것을
보고 기뻐하며 모든 불의한 자들은 그 입을 닫는도다.
43 누가 지혜가 있어 이런 일들을 주의하겠는가? 여
호와의 인애하심들을 그들로 이해하게 하여라.

NET

39 As for their enemies, they decreased in number
and were beaten down, because of painful distress
and suffering. **40** He would pour contempt upon
princes, and he made them wander in a wasteland
with no road. **41** Yet he protected the needy from
oppression and cared for his families like a flock of
sheep. **42** When the godly see this, they rejoice, and
every sinner shuts his mouth. **43** Whoever is wise,
let him take note of these things. Let them consider
the Lord's acts of loyal love.

108 WLC

1 שִׁיר מִזְמוֹר לְדָוִד׃

2 נָכוֹן לִבִּי אֱלֹהִים אָשִׁירָה וַאֲזַמְּרָה אַף־כְּבוֹדִי׃

3 עוּרָה הַנֵּבֶל וְכִנּוֹר אָעִירָה שָּׁחַר׃

4 אוֹדְךָ בָעַמִּים ׀ יְהוָה וַאֲזַמֶּרְךָ בַּל־אֻמִּים׃

5 כִּי־גָדוֹל מֵעַל־שָׁמַיִם חַסְדֶּךָ וְעַד־שְׁחָקִים אֲמִתֶּךָ׃

6 רוּמָה עַל־שָׁמַיִם אֱלֹהִים וְעַל כָּל־הָאָרֶץ כְּבוֹדֶךָ׃

7 לְמַעַן יֵחָלְצוּן יְדִידֶיךָ הוֹשִׁיעָה יְמִינְךָ וַעֲנֵנִי׃

맛싸성경

(히, 108:1) [노래. 다윗의 시] **1(2)** 하나님이시여! 내 마음이 확고하나이다. 내가 노래하고 참으로 내 영광으로 찬송하겠나이다. **2(3)** 네벨(하프)아, 킨노르(수금)야, 깨어라. 내가 새벽을 깨울 것이라. **3(4)** 여호와시여! 백성들 가운데 내가 (감사로) 노래하고 내가 모든 백성 가운데 찬송하겠나이다. **4(5)** 이는 주의 인애하심이 하늘 위까지 크시고(위대하시고) 주의 진리도 구름(하늘)까지 이나이다. **5(6)** 하나님이시며. 하늘 위에 높아지시며 주의 영광은 온 땅 위에 있나이다. **6(7)** 그리하여 주의 사랑하시는 자를 구출되게 하시고 주의 오른손으로 구원하시며 내게 응답하소서.

NET

1(H 108:1) A song, a psalm of David. I am determined, **(2)** O God. I will sing and praise you with my whole heart. **2(3)** Awake, O stringed instrument and harp. I will wake up at dawn. **3(4)** I will give you thanks before the nations, O Lord. I will sing praises to you before foreigners. **4(5)** For your loyal love extends beyond the sky, and your faithfulness reaches the clouds. **5(6)** Rise up above the sky, O God. May your splendor cover the whole earth. **6(7)** Deliver by your power and answer me, so that the ones you love may be safe.

108 WLC

‏8 אֱלֹהִים ׀ דִּבֶּר בְּקָדְשׁוֹ אֶעְלֹזָה אֲחַלְּקָה שְׁכֶם וְעֵמֶק סֻכּוֹת אֲמַדֵּד׃

‏9 לִי גִלְעָד ׀ לִי מְנַשֶּׁה וְאֶפְרַיִם מָעוֹז רֹאשִׁי יְהוּדָה מְחֹקְקִי׃

‏10 מוֹאָב ׀ סִיר רַחְצִי עַל־אֱדוֹם אַשְׁלִיךְ נַעֲלִי עֲלֵי־פְלֶשֶׁת אֶתְרוֹעָע׃

‏11 מִי יֹבִלֵנִי עִיר מִבְצָר מִי נָחַנִי עַד־אֱדוֹם׃

‏12 הֲלֹא־אֱלֹהִים זְנַחְתָּנוּ וְלֹא־תֵצֵא אֱלֹהִים בְּצִבְאֹתֵינוּ׃

‏13 הָבָה־לָּנוּ עֶזְרָת מִצָּר וְשָׁוְא תְּשׁוּעַת אָדָם׃

‏14 בֵּאלֹהִים נַעֲשֶׂה־חָיִל וְהוּא יָבוּס צָרֵינוּ׃

맛싸성경

7(히, 108:8) 하나님은 그분의 거룩하심으로 말씀하시니 "내가 (승리로) 기뻐하고 내가 세겜을 나누어주며 숙곳의 골짜기를 측량할 것이라. 8(9) 길르앗도 내 것이며 메낫쉐(므낫세)도 내 것이라. 에프라임은 내 머리의 투구(피할 것)이며 유다는 내 통치자로다. 9(10) 모압은 씻는 물통이고 에돔에 내가 내 신발을 던질 것이라. 블레셋에 내가 환호성을 지를 것이로다." 10(11) 누가 나를 강한 도시로 데리고 가며 누가 나를 에돔으로 인도하겠나이까? 11(12) 여호와께서 나를 버렸던 것이 아닙니까? 여호와께서 우리의 군대로 나가 주시지 않으시겠습니까? 12(13) 대적들에게서부터 우리에게 도움을 허락하소서. 사람의 구원은 헛되나이다. 13(14) 하나님으로 우리가 용감하게 행할 것이니 그분께서 우리 대적을 짓밟으실 것이라.

NET

7(H 108:8) God has spoken in his sanctuary: "I will triumph! I will parcel out Shechem; the Valley of Sukkoth I will measure off. 8(9) Gilead belongs to me, as does Manasseh. Ephraim is my helmet, Judah my royal scepter. 9(10) Moab is my washbasin. I will make Edom serve me. I will shout in triumph over Philistia." 10(11) Who will lead me into the fortified city? Who will bring me to Edom? 11(12) Have you not rejected us, O God? O God, you do not go into battle with our armies. 12(13) Give us help against the enemy, for any help men might offer is futile. 13(14) By God's power we will conquer; he will trample down our enemies.

109 WLC

1 לַמְנַצֵּחַ לְדָוִד מִזְמוֹר אֱלֹהֵי תְהִלָּתִי אַל־תֶּחֱרַשׁ׃

2 כִּי פִי רָשָׁע וּפִי־מִרְמָה עָלַי פָּתָחוּ דִּבְּרוּ אִתִּי לְשׁוֹן שָׁקֶר׃

3 וְדִבְרֵי שִׂנְאָה סְבָבוּנִי וַיִּלָּחֲמוּנִי חִנָּם׃

4 תַּחַת־אַהֲבָתִי יִשְׂטְנוּנִי וַאֲנִי תְפִלָּה׃

5 וַיָּשִׂימוּ עָלַי רָעָה תַּחַת טוֹבָה וְשִׂנְאָה תַּחַת אַהֲבָתִי׃

6 הַפְקֵד עָלָיו רָשָׁע וְשָׂטָן יַעֲמֹד עַל־יְמִינוֹ׃

7 בְּהִשָּׁפְטוֹ יֵצֵא רָשָׁע וּתְפִלָּתוֹ תִּהְיֶה לַחֲטָאָה׃

8 יִהְיוּ־יָמָיו מְעַטִּים פְּקֻדָּתוֹ יִקַּח אַחֵר׃

9 יִהְיוּ־בָנָיו יְתוֹמִים וְאִשְׁתּוֹ אַלְמָנָה׃

10 וְנוֹעַ יָנוּעוּ בָנָיו וְשִׁאֵלוּ וְדָרְשׁוּ מֵחָרְבוֹתֵיהֶם׃

맛싸성경

1 [지휘자를 따라 부르는 다윗의 시] 나의 찬양의 하
나님이시여! 잠잠하지 마소서. 2 왜냐하면 그들이 사
악한 자의 입과 속이는 입으로 나를 향해 열어 사기
치는 혀로 내게 대해 말하기 때문이나이다. 3 그들이
미워하는 말들로 나를 둘러싸고 이유 없이 나와 싸우
나이다. 4 내 사랑 대신에 그들은 도리어 나를 대적으
로 대하니 나는 기도드리나이다. 5 그들은 내게 선 대
신에 악을 내 사랑 대신에 미움을 주나이다. 6 사악한
자를 그에게 대항하여 세우시고 대적을 그의 오른쪽
에 서게 하소서. 7 그가 심판받을 때 사악한 자로 (결
과가) 나오게 하시고 그의 기도는 죄가 되게 하소서.
8 그의 날이 적게 하시고 다른 사람이 그의 임무(맡은
일)를 빼앗게 하소서. 9 그의 자녀들은 고아들이 그의
아내는 과부가 되게 하소서. 10 참으로 그의 자녀들
은 떠돌아다니고 구걸하며 그들의 황폐한 집에서 떠
나 양식을 찾게 하소서.

NET

1 For the music director, a psalm of David. O God
whom I praise, do not ignore me. 2 For they say
cruel and deceptive things to me; they lie to me. 3
They surround me and say hateful things; they
attack me for no reason. 4 They repay my love with
accusations, but I continue to pray. 5 They repay
me evil for good and hate for love. 6 Appoint an evil
man to testify against him. May an accuser stand at
his right side. 7 When he is judged, he will be found
guilty. Then his prayer will be regarded as sinful. 8
May his days be few. May another take his job. 9
May his children be fatherless, and his wife a
widow. 10 May his children roam around begging,
asking for handouts as they leave their ruined
home.

11 יְנַקֵּשׁ נוֹשֶׁה לְכָל־אֲשֶׁר־לוֹ וְיָבֹזּוּ זָרִים יְגִיעוֹ׃

12 אַל־יְהִי־לוֹ מֹשֵׁךְ חָסֶד וְאַל־יְהִי חוֹנֵן לִיתוֹמָיו׃

13 יְהִי־אַחֲרִיתוֹ לְהַכְרִית בְּדוֹר אַחֵר יִמַּח שְׁמָם׃

14 יִזָּכֵר ׀ עֲוֺן אֲבֹתָיו אֶל־יְהוָה וְחַטַּאת אִמּוֹ אַל־תִּמָּח׃

15 יִהְיוּ נֶגֶד־יְהוָה תָּמִיד וְיַכְרֵת מֵאֶרֶץ זִכְרָם׃

16 יַעַן אֲשֶׁר ׀ לֹא זָכַר עֲשׂוֹת חָסֶד וַיִּרְדֹּף אִישׁ־עָנִי וְאֶבְיוֹן וְנִכְאֵה לֵבָב לְמוֹתֵת׃

맛싸성경

11 채권자가 그가 가진 것에 다 함정을 놓게(취하게) 하시고 낯선 자가 그의 수고한 것을 빼앗게 하소서. 12 그에게 인애를 펴는(베푸는) 자가 없게 하시고 그의 고아들에게 불쌍히 여기는 자도 없게 하소서. 13 그의 후손이 끊어지게 하시고 다음 세대에는 그들의 이름이 지워지게 하소서. 14 그의 아버지(들)의 죄책이 여호와께 기억되게 하시고 그의 어머니의 죄가 지워지지 않게 하소서. 15 그들이 여호와 앞에 계속 있게 하시고 그들의(에 대한) 기억은 땅에서 끊어지게 하소서. 16 이는 그가 인애를 행하기를 기억하지(생각하지) 않고 오직 가난한 자와 궁핍한 자와 마음이 상한 자를 박해하여 죽이려 하였기 때문이니이다.

NET

11 May the creditor seize all he owns. May strangers loot his property. 12 May no one show him kindness. May no one have compassion on his fatherless children. 13 May his descendants be cut off. May the memory of them be wiped out by the time the next generation arrives. 14 May his ancestors' sins be remembered by the Lord. May his mother's sin not be forgotten. 15 May the Lord be constantly aware of them and cut off the memory of his children from the earth. 16 For he never bothered to show kindness; he harassed the oppressed and needy and killed the disheartened.

17 וַיֶּאֱהַב קְלָלָה וַתְּבוֹאֵהוּ וְלֹא־חָפֵץ בִּבְרָכָה וַתִּרְחַק מִמֶּנּוּ׃

18 וַיִּלְבַּשׁ קְלָלָה כְּמַדּוֹ וַתָּבֹא כַמַּיִם בְּקִרְבּוֹ וְכַשֶּׁמֶן בְּעַצְמוֹתָיו׃

19 תְּהִי־לוֹ כְּבֶגֶד יַעְטֶה וּלְמֵזַח תָּמִיד יַחְגְּרֶהָ׃

20 זֹאת פְּעֻלַּת שֹׂטְנַי מֵאֵת יְהוָה וְהַדֹּבְרִים רָע עַל־נַפְשִׁי׃

21 וְאַתָּה ׀ יְהוִה אֲדֹנָי עֲשֵׂה־אִתִּי לְמַעַן שְׁמֶךָ כִּי־טוֹב חַסְדְּךָ הַצִּילֵנִי׃

맛싸성경

17 그가 저주를 좋아했으니 그것이 그에게 이르게 하시고 축복을 기뻐하지 않았으니 그것이 그에게서 멀어지게 하소서. 18 그가 저주를 옷같이 입으니 그의 가운데 물같이 (그것이 임하며) 기름같이 그의 뼈들에 그것이 임하게 하소서. 19 그것(저주)이 (겉)옷같이 그를 두르게 하시고 허리띠로 항상 그것으로 매게 하소서. 20 이것이 내 대적들에게 여호와께로부터 오는 벌이 되게 하시고 내 영혼에 대항하여 악을 말하는 자들에게도 그리하소서. 21 그러나 여호와 나의 주시여! 주의 이름을 위하여 내게 행하시고 주의 인애는 좋으시니 나를 구출하소서.

NET

17 He loved to curse others, so those curses have come upon him. He had no desire to bless anyone, so he has experienced no blessings. 18 He made cursing a way of life, so curses poured into his stomach like water and seeped into his bones like oil. 19 May a curse attach itself to him, like a garment one puts on, or a belt one wears continually. 20 May the Lord repay my accusers in this way, those who say evil things about me. 21 O Sovereign Lord, intervene on my behalf for the sake of your reputation. Because your loyal love is good, deliver me.

22 כִּי־עָנִי וְאֶבְיוֹן אָנֹכִי וְלִבִּי חָלַל בְּקִרְבִּי׃

23 כְּצֵל־כִּנְטוֹתוֹ נֶהֱלָכְתִּי נִנְעַרְתִּי כָּאַרְבֶּה׃

24 בִּרְכַּי כָּשְׁלוּ מִצּוֹם וּבְשָׂרִי כָּחַשׁ מִשָּׁמֶן׃

25 וַאֲנִי ׀ הָיִיתִי חֶרְפָּה לָהֶם יִרְאוּנִי יְנִיעוּן רֹאשָׁם׃

26 עָזְרֵנִי יְהוָה אֱלֹהָי הוֹשִׁיעֵנִי כְחַסְדֶּךָ׃

27 וְיֵדְעוּ כִּי־יָדְךָ זֹּאת אַתָּה יְהוָה עֲשִׂיתָהּ׃

28 יְקַלְלוּ־הֵמָּה וְאַתָּה תְבָרֵךְ קָמוּ ׀ וַיֵּבֹשׁוּ וְעַבְדְּךָ יִשְׂמָח׃

29 יִלְבְּשׁוּ שׂוֹטְנַי כְּלִמָּה וְיַעֲטוּ כַמְעִיל בָּשְׁתָּם׃

30 אוֹדֶה יְהוָה מְאֹד בְּפִי וּבְתוֹךְ רַבִּים אֲהַלְלֶנּוּ׃

31 כִּי־יַעֲמֹד לִימִין אֶבְיוֹן לְהוֹשִׁיעַ מִשֹּׁפְטֵי נַפְשׁוֹ׃

맛싸성경

22 이는 나는 가난하고 궁핍하며 내 마음은 내 속에
서 상처를 받았음이니이다. 23 나는 기우는 그림자처
럼 사라지고 메뚜기같이 날려 다니나이다. 24 금식으
로 내 무릎이 후들거리고 내 몸은 기름기가 없나이다.
25 나는 그들에게 비방거리가 되니 그들이 나를 보고
그들의 머리를 흔드나이다. 26 여호와 나의 하나님이
시여! 나를 도와주소서. 주의 인애를 따라 나를 구원
하소서. 27 그들로 이것이 주의 손(능력)인 것을 알게
하소서. 여호와시여! 주께서 그것을 행하셨나이다. 28
그들은 저주하지만 주는 복을 주소서. 그들은 일어나
수치를 당하나 주의 종으로 즐거워하게 하소서. 29 나
를 대적하는 자들로 모욕으로 옷 입게 하시고 겉옷처
럼 그들의 수치로 두르게 하소서. 30 나는 입으로 여
호와께 매우 감사하며 많은 자들 중에서 그분을 찬양
할 것이나이다. 31 이는 여호와께서 궁핍한 자의 오
른쪽에 서셔서 그의 영혼을 판단하는 자들에게서 구
원하실 것이기 때문이니이다.

NET

22 For I am oppressed and needy, and my heart
beats violently within me. 23 I am fading away like
a shadow at the end of the day; I am shaken off like
a locust. 24 I am so starved my knees shake; I have
turned into skin and bones. 25 I am disdained by
them. When they see me, they shake their heads.
26 Help me, O Lord my God. Because you are
faithful to me, deliver me. 27 Then they will realize
this is your work and that you, Lord, have
accomplished it. 28 They curse, but you will bless.
When they attack, they will be humiliated, but your
servant will rejoice. 29 My accusers will be covered
with shame and draped in humiliation as if it were
a robe. 30 I will thank the Lord profusely. In the
middle of a crowd I will praise him, 31 because he
stands at the right hand of the needy to deliver him
from those who threaten his life.

110 WLC

1 לְדָוִד מִזְמוֹר נְאֻם יְהוָה ׀ לַאדֹנִי שֵׁב לִימִינִי עַד־אָשִׁית אֹיְבֶיךָ
הֲדֹם לְרַגְלֶיךָ׃
2 מַטֵּה־עֻזְּךָ יִשְׁלַח יְהוָה מִצִּיּוֹן רְדֵה בְּקֶרֶב אֹיְבֶיךָ׃
3 עַמְּךָ נְדָבֹת בְּיוֹם חֵילֶךָ בְּהַדְרֵי־קֹדֶשׁ מֵרֶחֶם מִשְׁחָר לְךָ
טַל יַלְדֻתֶיךָ׃
4 נִשְׁבַּע יְהוָה ׀ וְלֹא יִנָּחֵם אַתָּה־כֹהֵן לְעוֹלָם עַל־דִּבְרָתִי מַלְכִּי־צֶדֶק׃
5 אֲדֹנָי עַל־יְמִינְךָ מָחַץ בְּיוֹם־אַפּוֹ מְלָכִים׃
6 יָדִין בַּגּוֹיִם מָלֵא גְוִיּוֹת מָחַץ רֹאשׁ עַל־אֶרֶץ רַבָּה׃
7 מִנַּחַל בַּדֶּרֶךְ יִשְׁתֶּה עַל־כֵּן יָרִים רֹאשׁ׃

맛싸성경

1 [다윗의 시] 여호와께서 내 주께 말씀하셨나이다. "너의 대적을 네 발등상에 놓아 둘 때까지 내 오른 편에 앉아 있으라." 2 여호와께서 시온에서부터 주의 권세의 홀을 보내실 것이니 (주께서) 주의 대적들 가운데서 통치하소서. 3 주의 능력의 날에는 주의 백성들이 자원함이 있으며 거룩함의 장엄함으로 새벽부터 이슬 같은 (주의) 청년들도 주께 있도다. 4 여호와께서 맹세하셨고 후회하지 아니하시도다. "너는 멜기세덱의 방식으로 영원한 성직자이다." 5 주의 오른 편에 계신 주께서 그분의 분노의 날에 왕들을 부수시나이다. 6 민족들에게 심판을 행하시고 죽은 자들로 가득 채우시며 많은 땅에 우두머리들을 부수시나이다. 7 그분은 길에서 시냇물에서부터 마실 것이라. 그러므로 그분이 머리를 들게 하실 것이라.

NET

1 A psalm of David. Here is the Lord's proclamation to my lord: "Sit down at my right hand until I make your enemies your footstool." 2 The Lord extends your dominion from Zion. Rule in the midst of your enemies. 3 Your people willingly follow you when you go into battle. On the holy hills at sunrise the dew of your youth belongs to you. 4 The Lord makes this promise on oath and will not revoke it: "You are an eternal priest after the pattern of Melchizedek." 5 O Lord, at your right hand he strikes down kings in the day he unleashes his anger. 6 He executes judgment against the nations. He fills the valleys with corpses; he shatters their heads over the vast battlefield. 7 From the stream along the road he drinks; then he lifts up his head.

111 WLC

1 הַלְלוּ יָהּ ׀ אוֹדֶה יְהוָה בְּכָל־לֵבָב בְּסוֹד יְשָׁרִים וְעֵדָה׃

2 גְּדֹלִים מַעֲשֵׂי יְהוָה דְּרוּשִׁים לְכָל־חֶפְצֵיהֶם׃

3 הוֹד־וְהָדָר פָּעֳלוֹ וְצִדְקָתוֹ עֹמֶדֶת לָעַד׃

4 זֵכֶר עָשָׂה לְנִפְלְאֹתָיו חַנּוּן וְרַחוּם יְהוָה׃

5 טֶרֶף נָתַן לִירֵאָיו יִזְכֹּר לְעוֹלָם בְּרִיתוֹ׃

6 כֹּחַ מַעֲשָׂיו הִגִּיד לְעַמּוֹ לָתֵת לָהֶם נַחֲלַת גּוֹיִם׃

7 מַעֲשֵׂי יָדָיו אֱמֶת וּמִשְׁפָּט נֶאֱמָנִים כָּל־פִּקּוּדָיו׃

8 סְמוּכִים לָעַד לְעוֹלָם עֲשׂוּיִם בֶּאֱמֶת וְיָשָׁר׃

9 פְּדוּת ׀ שָׁלַח לְעַמּוֹ צִוָּה־לְעוֹלָם בְּרִיתוֹ קָדוֹשׁ וְנוֹרָא שְׁמוֹ׃

10 רֵאשִׁית חָכְמָה ׀ יִרְאַת יְהוָה שֵׂכֶל טוֹב לְכָל־עֹשֵׂיהֶם תְּהִלָּתוֹ עֹמֶדֶת לָעַד׃

맛싸성경

1 할렐루야(여호와를 찬양하라). 내가 여호와께 온 마음으로 (감사로) 노래하나이다. 바른 자들의 은밀한 대화와 모임에서도 (그리하나이다). 2 여호와의 행하심은 크시도다. 그것들을 기뻐하는 모든 자들을 통해서 연구되어졌도다. 3 그분의 행하심은 영광스럽고 장엄하시도다. 그분의 의는 영원까지 서 있도다. 4 그분이 그 놀라우신 일들을 기억되도록 행하셨도다. 여호와께서는 은혜로우시며 긍휼이 많으시도다. 5 그분은 (자신을) 경외하는 자들에게 양식을 주시도다. 그분은 그분의 언약을 영원히 기억하시도다. 6 그분은 나라들의 유업을 자신의 백성에게 주셔서 그분이 행하신 능력을 선포하시도다. 7 그분의 손이 행하신 것은 진리와 공의로다. 그분의 모든 가르침은 신실하시니 8 그것들은 영원에서 영원까지 든든해지고 진리와 올바름으로 행하여졌도다. 9 그분은 그분의 백성에게 속전함을 보내주시고 그분은 그분의 언약을 영원까지 명령하시니 그분의 이름은 거룩하고 두려우시도다. 10 지혜의 시작은 여호와를 경외하는 것이고 그것들을 행하는 모든 자에게 좋은 통찰력이 있으니 그분의 찬양은 영원히 지속되도다.

NET

1 Praise the Lord! I will give thanks to the Lord with my whole heart, in the assembly of the godly and the congregation. 2 The Lord's deeds are great, eagerly awaited by all who desire them. 3 His work is majestic and glorious, and his faithfulness endures forever. 4 He does amazing things that will be remembered; the Lord is merciful and compassionate. 5 He gives food to his faithful followers; he always remembers his covenant. 6 He announced that he would do mighty deeds for his people, giving them a land that belonged to other nations. 7 His acts are characterized by faithfulness and justice; all his precepts are reliable. 8 They are forever firm and should be faithfully and properly carried out. 9 He delivered his people; he ordained that his covenant be observed forever. His name is holy and awesome. 10 To obey the Lord is the fundamental principle for wise living; all who carry out his precepts acquire good moral insight. He will receive praise forever.

112 WLC

1 הַלְלוּ יָהּ ׀ אַשְׁרֵי־אִישׁ יָרֵא אֶת־יְהוָה בְּמִצְוֺתָיו חָפֵץ מְאֹד׃

2 גִּבּוֹר בָּאָרֶץ יִהְיֶה זַרְעוֹ דּוֹר יְשָׁרִים יְבֹרָךְ׃

3 הוֹן־וָעֹשֶׁר בְּבֵיתוֹ וְצִדְקָתוֹ עֹמֶדֶת לָעַד׃

4 זָרַח בַּחֹשֶׁךְ אוֹר לַיְשָׁרִים חַנּוּן וְרַחוּם וְצַדִּיק׃

5 טוֹב־אִישׁ חוֹנֵן וּמַלְוֶה יְכַלְכֵּל דְּבָרָיו בְּמִשְׁפָּט׃

6 כִּי־לְעוֹלָם לֹא־יִמּוֹט לְזֵכֶר עוֹלָם יִהְיֶה צַדִּיק׃

7 מִשְּׁמוּעָה רָעָה לֹא יִירָא נָכוֹן לִבּוֹ בָּטֻחַ בַּיהוָה׃

8 סָמוּךְ לִבּוֹ לֹא יִירָא עַד אֲשֶׁר־יִרְאֶה בְצָרָיו׃

9 פִּזַּר ׀ נָתַן לָאֶבְיוֹנִים צִדְקָתוֹ עֹמֶדֶת לָעַד קַרְנוֹ תָּרוּם בְּכָבוֹד׃

10 רָשָׁע יִרְאֶה ׀ וְכָעָס שִׁנָּיו יַחֲרֹק וְנָמָס תַּאֲוַת רְשָׁעִים תֹּאבֵד׃

맛싸성경

1 할렐루야(여호와를 찬양하라). 복이 있는 자는 여호와를 경외하며 그분의 명령 안에서 매우 기뻐하는 자로다. 2 그분의 자손은 이 땅에서 영웅이 될 것이요(강성할 것이요) 바른 자들의 세대(후손)는 복을 받을 것이라. 3 재산과 부는 그의 집에 있으며 그분의 의는 영원까지 서 있도다. 4 바른 자들에게는 어두움 속에서도 빛이 떠오르나니 그는 은혜롭고 긍휼히 여기며 의롭도다. 5 좋은 사람은 은혜를 베풀고 빌려주는 자이니 그는 자기의 일들을 올바르게(분별력 있게) 감당할 것이라. 6 참으로 그는 영원히 흔들리지 않을 것이니 의인들은 영원히 기억되리로다. 7 그는 소식이 좋지 않음에도 두려워하지 않고 그의 마음은 여호와를 신뢰하며 확고하도다. 8 그의 마음은 견고하여 두려워하지 않으니 그는 대적들에 대해서 (만족할 때 까지) 지켜볼 것이다. 9 그는 (재물을) 흩어서 가난한 자들에게 주었으니 그의 의는 영원까지 이르고 그의 뿔은 영광으로 높아질 것이라. 10 사악한 자가 (그것을) 보고 고통할 것이며 그의 이를 갈고 녹아지리니 사악한 자들의 욕망은 멸망할 것이라.

NET

1 Praise the Lord! How blessed is the one who obeys the Lord, who takes great delight in keeping his commands. 2 His descendants will be powerful on the earth; the godly will be blessed. 3 His house contains wealth and riches; his integrity endures. 4 In the darkness a light shines for the godly, for each one who is merciful, compassionate, and just. 5 It goes well for the one who generously lends money and conducts his business honestly. 6 For he will never be shaken; others will always remember one who is just. 7 He does not fear bad news. He is confident; he trusts in the Lord. 8 His resolve is firm; he will not succumb to fear before he looks in triumph on his enemies. 9 He generously gives to the needy; his integrity endures. He will be vindicated and honored. 10 When the wicked see this, they will worry; they will grind their teeth in frustration and melt away. The desire of the wicked will perish.

113 WLC

1 הַלְלוּ יָהּ ׀ הַלְלוּ עַבְדֵי יְהוָה הַלְלוּ אֶת־שֵׁם יְהוָה׃

2 יְהִי שֵׁם יְהוָה מְבֹרָךְ מֵעַתָּה וְעַד־עוֹלָם׃

3 מִמִּזְרַח־שֶׁמֶשׁ עַד־מְבוֹאוֹ מְהֻלָּל שֵׁם יְהוָה׃

4 רָם עַל־כָּל־גּוֹיִם ׀ יְהוָה עַל הַשָּׁמַיִם כְּבוֹדוֹ׃

5 מִי כַּיהוָה אֱלֹהֵינוּ הַמַּגְבִּיהִי לָשָׁבֶת׃

6 הַמַּשְׁפִּילִי לִרְאוֹת בַּשָּׁמַיִם וּבָאָרֶץ׃

7 מְקִימִי מֵעָפָר דָּל מֵאַשְׁפֹּת יָרִים אֶבְיוֹן׃

8 לְהוֹשִׁיבִי עִם־נְדִיבִים עִם נְדִיבֵי עַמּוֹ׃

9 מוֹשִׁיבִי ׀ עֲקֶרֶת הַבַּיִת אֵם־הַבָּנִים שְׂמֵחָה הַלְלוּ־יָהּ׃

맛싸성경

1 할렐루야(여호와를 찬양하라). 여호와의 종들아, 찬양하라. 여호와의 이름을 찬양하라. 2 여호와의 이름이 송축 받으시리니 지금부터 영원까지로다. 3 해 뜨는 곳에서부터 그 지는 곳까지 여호와의 이름이 찬양 받으실 것이라. 4 여호와는 모든 민족들 위에 높으시며 그분의 영광은 하늘 위에 있도다. 5 누가 우리 하나님 여호와와 같으신가? 그분은 높은 곳에 거하시지만 6 하늘과 땅을 보시려 (스스로) 낮추시며 7 가난한 자를 먼지에서 일으키시고 궁핍한 자를 쓰레기 더미에서 높이시며 8 고귀한 자들 곧 그분의 백성들의 고귀한 자들과 함께 앉게 하시는도다. 9 (주께서) 임신하지 못하는 자로 아들(아이)들과 기쁨으로 집에 거하게 하시도다. 할렐루야(여호와를 찬양하라).

NET

1 Praise the Lord. Praise, you servants of the Lord, praise the name of the Lord. 2 May the Lord's name be praised now and forevermore. 3 From east to west the Lord's name is deserving of praise. 4 The Lord is exalted over all the nations; his splendor reaches beyond the sky. 5 Who can compare to the Lord our God, who sits on a high throne? 6 He bends down to look at the sky and the earth. 7 He raises the poor from the dirt and lifts up the needy from the garbage pile 8 that he might seat him with princes, with the princes of his people. 9 He makes the barren woman of the family a happy mother of children. Praise the Lord.

114 WLC

1 בְּצֵאת יִשְׂרָאֵל מִמִּצְרָיִם בֵּית יַעֲקֹב מֵעַם לֹעֵז׃

2 הָיְתָה יְהוּדָה לְקָדְשׁוֹ יִשְׂרָאֵל מַמְשְׁלוֹתָיו׃

3 הַיָּם רָאָה וַיָּנֹס הַיַּרְדֵּן יִסֹּב לְאָחוֹר׃

4 הֶהָרִים רָקְדוּ כְאֵילִים גְּבָעוֹת כִּבְנֵי־צֹאן׃

5 מַה־לְּךָ הַיָּם כִּי תָנוּס הַיַּרְדֵּן תִּסֹּב לְאָחוֹר׃

6 הֶהָרִים תִּרְקְדוּ כְאֵילִים גְּבָעוֹת כִּבְנֵי־צֹאן׃

7 מִלִּפְנֵי אָדוֹן חוּלִי אָרֶץ מִלִּפְנֵי אֱלוֹהַּ יַעֲקֹב׃

8 הַהֹפְכִי הַצּוּר אֲגַם־מָיִם חַלָּמִישׁ לְמַעְיְנוֹ־מָיִם׃

맛싸성경

1 이스라엘이 이집트에서 나오고 야곱의 집이 외국어
를 말하는 백성에게서 (나올 때) 2 유다는 그분의 거
룩한 성소였고 이스라엘은 그분의 영토였도다. 3 바
다가 그것을 보고 도망하였고 요단이 그 뒤로 흘러갔
도다. 4 산(들)은 숫양같이 뛰어올랐고 언덕은 양 떼
새끼같이 (뛰어올랐도다). 5 바다야 너는 어찌하여 도
망하였느냐? 요단아 너는 어찌하여 그 뒤로 흘러갔느
냐? 6 산(들)아 너희는 숫양같이 뛰어올랐느냐? 언덕
아 너희는 양 떼 새끼같이 (뛰어올랐느냐?) 7 땅아 주
앞에서 곧 야곱의 하나님 앞에서 떨지어다. 8 (그분이)
바위로 물이 나오게 바꾸시고 바윗 돌로 물의 샘이 되
게 하시도다.

NET

1 When Israel left Egypt, when the family of Jacob
left a foreign nation behind, 2 Judah became his
sanctuary, Israel his kingdom. 3 The sea looked and
fled; the Jordan River turned back. 4 The mountains
skipped like rams, the hills like lambs. 5 Why do you
flee, O sea? Why do you turn back, O Jordan River?
6 Why do you skip like rams, O mountains, like
lambs, O hills? 7 Tremble, O earth, before the
Lord— before the God of Jacob, 8 who turned a
rock into a pool of water, a hard rock into springs
of water.

115 WLC

1 לֹא לָנוּ יְהוָה לֹא לָנוּ כִּי־לְשִׁמְךָ תֵּן כָּבוֹד עַל־חַסְדְּךָ עַל־אֲמִתֶּךָ׃

2 לָמָּה יֹאמְרוּ הַגּוֹיִם אַיֵּה־נָא אֱלֹהֵיהֶם׃

3 וֵאלֹהֵינוּ בַשָּׁמָיִם כֹּל אֲשֶׁר־חָפֵץ עָשָׂה׃

4 עֲצַבֵּיהֶם כֶּסֶף וְזָהָב מַעֲשֵׂה יְדֵי אָדָם׃

5 פֶּה־לָהֶם וְלֹא יְדַבֵּרוּ עֵינַיִם לָהֶם וְלֹא יִרְאוּ׃

6 אָזְנַיִם לָהֶם וְלֹא יִשְׁמָעוּ אַף לָהֶם וְלֹא יְרִיחוּן׃

7 יְדֵיהֶם ׀ וְלֹא יְמִישׁוּן רַגְלֵיהֶם וְלֹא יְהַלֵּכוּ לֹא־יֶהְגּוּ בִּגְרוֹנָם׃

8 כְּמוֹהֶם יִהְיוּ עֹשֵׂיהֶם כֹּל אֲשֶׁר־בֹּטֵחַ בָּהֶם׃

9 יִשְׂרָאֵל בְּטַח בַּיהוָה עֶזְרָם וּמָגִנָּם הוּא׃

맛싸성경

1 우리에게는 아니나이다. 여호와시여! 우리에게는 아니나이다. 오직 주의 이름에 영광을 돌리소서(두소서). 주의 인애와 주의 진리로 인함이나이다. 2 어찌하여 민족들이 "그들의 하나님이 어디 있느냐?"라고 말하게 하겠나이까? 3 그러나 우리 하나님은 하늘에 계셔서 (주께서) 원하시는 모든 것을 주께서 다 행하시나이다. 4 그들의 우상들은 은과 금이고 사람의 손들로 만든 것이나이다. 5 그것들에게 입이 있어도 그것들은 말하지 못하고 그것들에게 눈(들)이 있어도 그것들은 보지 못하며 6 그것들에게 귀들이 있어도 그것들은 듣지 못하고 그것들에게 코가 있어도 그것들은 냄새 맡지 못하며 7 그것들에게 손들이 있어도 그것들은 느끼지 못하고 그것들에게 발들이 있어도 그것들은 걷지 못하며 그들의 목구멍으로 소리를 내지도 못하도다. 8 그것(우상)들을 만드는 자들은 그것들과 같으니 그것(우상)들을 신뢰하는 모든 자가 그러하도다. 9 이스라엘아, 여호와를 신뢰하여라. 그분은 그들의 도움이시고 그들의 방패이시도다.

NET

1 Not to us, O Lord, not to us, but to your name bring honor, for the sake of your loyal love and faithfulness. 2 Why should the nations say, "Where is their God?" 3 Our God is in heaven. He does whatever he pleases. 4 Their idols are made of silver and gold—they are man-made. 5 They have mouths, but cannot speak; eyes, but cannot see; 6 ears, but cannot hear; noses, but cannot smell; 7 hands, but cannot touch; feet, but cannot walk. They cannot even clear their throats. 8 Those who make them will end up like them, as will everyone who trusts in them. 9 O Israel, trust in the Lord. He is their deliverer and protector.

115 WLC

10 בֵּית אַהֲרֹן בִּטְחוּ בַיהוָה עֶזְרָם וּמָגִנָּם הוּא׃

11 יִרְאֵי יְהוָה בִּטְחוּ בַיהוָה עֶזְרָם וּמָגִנָּם הוּא׃

12 יְהוָה זְכָרָנוּ יְבָרֵךְ יְבָרֵךְ אֶת־בֵּית יִשְׂרָאֵל יְבָרֵךְ אֶת־בֵּית אַהֲרֹן׃

13 יְבָרֵךְ יִרְאֵי יְהוָה הַקְּטַנִּים עִם־הַגְּדֹלִים׃

14 יֹסֵף יְהוָה עֲלֵיכֶם עֲלֵיכֶם וְעַל־בְּנֵיכֶם׃

15 בְּרוּכִים אַתֶּם לַיהוָה עֹשֵׂה שָׁמַיִם וָאָרֶץ׃

16 הַשָּׁמַיִם שָׁמַיִם לַיהוָה וְהָאָרֶץ נָתַן לִבְנֵי־אָדָם׃

17 לֹא הַמֵּתִים יְהַלְלוּ־יָהּ וְלֹא כָּל־יֹרְדֵי דוּמָה׃

18 וַאֲנַחְנוּ ׀ נְבָרֵךְ יָהּ מֵעַתָּה וְעַד־עוֹלָם הַלְלוּ־יָהּ׃

맛싸성경

10 아론의 집이여, 여호와를 신뢰하여라. 그분은 그들의 도움이시고 그들의 방패이시도다. 11 여호와를 경외하는 자들은 여호와를 신뢰하여라. 그분은 그들의 도움이시고 그들의 방패이시도다. 12 여호와께서 우리를 기억하셔서 복을 주실 것이니 이스라엘 집에도 복을 주시고 아론의 집에도 복을 주실 것이라. 13 그분은 작은 자나 큰 자나 여호와를 경외하는 자에게는 복을 주실 것이라. 14 여호와께서 너희 위에 더하게 하실 것이니 너희와 너희 자손들 위에라. 15 너희는 천지를 만드신 여호와께로부터 복받은 자가 되어라. 16 하늘의 하늘은 여호와께 있으나 땅은 사람의 자손들에게 주셨도다. 17 죽은 자는 여호와를 찬양하지 못하며 적막한 곳에 내려간 자들도 못하도다. 18 그러나 우리는 지금부터 영원까지 여호와를 송축할 것이로다. 할렐루야(여호와를 찬양하라).

NET

10 O family of Aaron, trust in the Lord. He is their deliverer and protector. 11 You loyal followers of the Lord, trust in the Lord. He is their deliverer and protector. 12 The Lord takes notice of us; he will bless—he will bless the family of Israel, he will bless the family of Aaron. 13 He will bless his loyal followers, both young and old. 14 May he increase your numbers, yours and your children's. 15 May you be blessed by the Lord, the Creator of heaven and earth. 16 The heavens belong to the Lord, but the earth he has given to mankind. 17 The dead do not praise the Lord, nor do any of those who descend into the silence of death. 18 But we will praise the Lord now and forevermore. Praise the Lord!

116 WLC

1 אָהַבְתִּי כִּֽי־יִשְׁמַע ׀ יְהוָה אֶת־קוֹלִי תַּחֲנוּנָֽי׃

2 כִּֽי־הִטָּה אָזְנוֹ לִי וּבְיָמַי אֶקְרָֽא׃

3 אֲפָפוּנִי ׀ חֶבְלֵי־מָוֶת וּמְצָרֵי שְׁאוֹל מְצָאוּנִי צָרָה וְיָגוֹן אֶמְצָֽא׃

4 וּבְשֵֽׁם־יְהוָה אֶקְרָא אָנָּה יְהוָה מַלְּטָה נַפְשִֽׁי׃

5 חַנּוּן יְהוָה וְצַדִּיק וֵאלֹהֵינוּ מְרַחֵֽם׃

6 שֹׁמֵר פְּתָאִים יְהוָה דַּלּוֹתִי וְלִי יְהוֹשִֽׁיעַ׃

7 שׁוּבִי נַפְשִׁי לִמְנוּחָיְכִי כִּֽי־יְהוָה גָּמַל עָלָֽיְכִי׃

8 כִּי חִלַּצְתָּ נַפְשִׁי מִמָּוֶת אֶת־עֵינִי מִן־דִּמְעָה אֶת־רַגְלִי מִדֶּֽחִי׃

9 אֶתְהַלֵּךְ לִפְנֵי יְהוָה בְּאַרְצוֹת הַחַיִּֽים׃

10 הֶאֱמַנְתִּי כִּי אֲדַבֵּר אֲנִי עָנִיתִי מְאֹֽד׃

맛싸성경

1 내가 여호와를 사랑하나니 이는 주께서 내 목소리와 나의 (은혜) 간구함을 들으셨음이라. 2 그분이 그 귀를 내게 향하셨으므로 나의 사는 날 동안 내가 (주께) 부르짖을 것이라. 3 사망의 올가미가 나를 둘러싸고 세올의 고통이 나를 함정에 빠트리니 내가 고통과 슬픔을 만났도다. 4 그때 내가 여호와의 이름을 부르짖었도다. "여호와시여! 내가 구하니 내 영혼을 구원하소서" 5 여호와는 은혜로우시고 의로우시도다. 우리 하나님은 긍휼히 여기시도다. 6 여호와는 미숙한 자를 지켜주시고 내가 낮아졌을 때 나를 구원하셨도다. 7 내 영혼아, 주의 안식처로 돌아가라. 이는 여호와는 네게 선대하심이라. 8 이는 주께서 내 영혼을 사망에서 구출하시고 눈물에서부터 내 눈을 넘어짐에서부터 내 발을 (그리하셨도다). 9 내가 여호와 앞에서 스스로(자원해서) 걸을 것이니 (곧) 생명 있는 자의 땅이라. 10 "나는 매우 고난을 당하였도다."라고 말했을 때조차도 나는 믿었도다.

NET

1 I love the Lord because he heard my plea for mercy 2 and listened to me. As long as I live, I will call to him when I need help. 3 The ropes of death tightened around me, the snares of Sheol confronted me. I was confronted with trouble and sorrow. 4 I called on the name of the Lord, "Please, Lord, rescue my life!" 5 The Lord is merciful and fair; our God is compassionate. 6 The Lord protects the untrained; I was in serious trouble and he delivered me. 7 Rest once more, my soul, for the Lord has vindicated you. 8 Yes, Lord, you rescued my life from death, kept my eyes from tears and my feet from stumbling. 9 I will serve the Lord in the land of the living. 10 I had faith when I said, "I am severely oppressed."

116 WLC

11 אֲנִי אָמַרְתִּי בְחָפְזִי כָּל־הָאָדָם כֹּזֵב׃

12 מָה־אָשִׁיב לַיהוָה כָּל־תַּגְמוּלוֹהִי עָלָי׃

13 כּוֹס־יְשׁוּעוֹת אֶשָּׂא וּבְשֵׁם יְהוָה אֶקְרָא׃

14 נְדָרַי לַיהוָה אֲשַׁלֵּם נֶגְדָה־נָּא לְכָל־עַמּוֹ׃

15 יָקָר בְּעֵינֵי יְהוָה הַמָּוְתָה לַחֲסִידָיו׃

16 אָנָּה יְהוָה כִּי־אֲנִי עַבְדֶּךָ אֲנִי־עַבְדְּךָ בֶּן־אֲמָתֶךָ פִּתַּחְתָּ לְמוֹסֵרָי׃

17 לְךָ־אֶזְבַּח זֶבַח תּוֹדָה וּבְשֵׁם יְהוָה אֶקְרָא׃

18 נְדָרַי לַיהוָה אֲשַׁלֵּם נֶגְדָה־נָּא לְכָל־עַמּוֹ׃

19 בְּחַצְרוֹת ׀ בֵּית יְהוָה בְּתוֹכֵכִי יְרוּשָׁלָם הַלְלוּ־יָהּ׃

맛싸성경

11 나는 서둘러서 말하기를 "모든 사람은 거짓말하는 자라."고 하였도다. 12 내게 베푸신 그분의 모든 은혜를 무엇으로 여호와께 내가 보답하겠나이까? 13 내가 구원의 잔을 들고 여호와의 이름을 내가 부르며 14 내 서원을 여호와께 내가 갚을 것이니 그분의 모든 백성 앞에서이니이다. 15 신실한 자들의 죽음은 여호와의 눈앞에서 가치 있는 것이니이다. 16 여호와시여! 내가 구하니(제발) 나는 주의 종이니이다. 나는 주의 종이고 주의 여종의 아들이니이다. 주께서 나의 결박을 풀어주셨나이다. 17 내가 주께 감사의 제물을 드리고 주의 이름을 내가 부르나이다. 18 내 서원을 그분의 모든 백성 앞에서 여호와께 내가 참으로 갚을 것이니 19 예루살렘아, 여호와의 성전 뜰 안 곧 네 가운데서 (갚을 것이라). 할렐루야(여호와를 찬양하라).

NET

11 I rashly declared, "All men are liars." 12 How can I repay the Lord for all his acts of kindness to me? 13 I will celebrate my deliverance and call on the name of the Lord. 14 I will fulfill my vows to the Lord before all his people. 15 The Lord values the lives of his faithful followers. 16 Yes, Lord! I am indeed your servant; I am your servant, the son of your female servant. You saved me from death. 17 I will present a thank offering to you, and call on the name of the Lord. 18 I will fulfill my vows to the Lord before all his people, 19 in the courts of the Lord's temple, in your midst, O Jerusalem. Praise the Lord!

117 WLC

1 הַלְלוּ אֶת־יְהוָה כָּל־גּוֹיִם שַׁבְּחוּהוּ כָּל־הָאֻמִּים׃

2 כִּי גָבַר עָלֵינוּ ׀ חַסְדּוֹ וֶֽאֱמֶת־יְהוָה לְעוֹלָם הַלְלוּ־יָהּ׃

맛싸성경

1 모든 민족들아, 여호와를 찬양하라. 모든 족속들아, 그분을 찬미하라. 2 이는 그분의 인애 하심은 우리 위에 강력하시고 여호와의 진리는 영원하심이라. 할렐루야(여호와를 찬양하라).

NET

1 Praise the Lord, all you nations. Applaud him, all you foreigners. 2 For his loyal love towers over us, and the Lord's faithfulness endures. Praise the Lord.

118 WLC

1 הוֹדוּ לַיהוָה כִּי־טוֹב כִּי לְעוֹלָם חַסְדּוֹ׃

2 יֹאמַר־נָא יִשְׂרָאֵל כִּי לְעוֹלָם חַסְדּוֹ׃

3 יֹאמְרוּ־נָא בֵית־אַהֲרֹן כִּי לְעוֹלָם חַסְדּוֹ׃

4 יֹאמְרוּ־נָא יִרְאֵי יְהוָה כִּי לְעוֹלָם חַסְדּוֹ׃

5 מִן־הַמֵּצַר קָרָאתִי יָּהּ עָנָנִי בַמֶּרְחָב יָהּ׃

6 יְהוָה לִי לֹא אִירָא מַה־יַּעֲשֶׂה לִי אָדָם׃

7 יְהוָה לִי בְּעֹזְרָי וַאֲנִי אֶרְאֶה בְשֹׂנְאָי׃

8 טוֹב לַחֲסוֹת בַּיהוָה מִבְּטֹחַ בָּאָדָם׃

9 טוֹב לַחֲסוֹת בַּיהוָה מִבְּטֹחַ בִּנְדִיבִים׃

맛싸성경

1 여호와께 (감사로) 찬양하라. 이는 (그분은) 선하시고 그분의 인애 하심은 영원하심이라. **2** 이스라엘은 이제 말하라. "그분의 인애 하심은 영원하도다." **3** 아론의 집은 이제 말하라. "그분의 인애 하심은 영원하도다." **4** 여호와를 경외하는 자는 이제 말하라. "그분의 인애 하심은 영원하도다." **5** 내가 고통 중에 여호와께 부르짖었더니 여호와께서 내게 응답하시고 나를 넓은 곳에 두셨도다. **6** 여호와는 나를 위하시니 나는 두려워하지 않을 것이라. 사람이 내게 무엇을 행할 수 있겠는가? **7** 여호와는 나를 돕는 자로 나를 위하시니 그러므로 나를 미워하는 자들을 내가 (지켜) 볼 것이라. **8** 여호와께 피하는 것이 사람을 신뢰하는 것보다 낫도다. **9** 여호와께 피하는 것이 고관들을 의지하는 것보다 낫도다.

NET

1 Give thanks to the Lord, for he is good, and his loyal love endures. **2** Let Israel say, "Yes, his loyal love endures." **3** Let the family of Aaron say, "Yes, his loyal love endures." **4** Let the loyal followers of the Lord say, "Yes, his loyal love endures." **5** In my distress I cried out to the Lord. The Lord answered me and put me in a wide open place. **6** The Lord is on my side; I am not afraid. What can people do to me? **7** The Lord is on my side as my helper. I look in triumph on those who hate me. **8** It is better to take shelter in the Lord than to trust in people. **9** It is better to take shelter in the Lord than to trust in princes.

10 כָּל־גּוֹיִם סְבָבוּנִי בְּשֵׁם יְהוָה כִּי אֲמִילַם׃

11 סַבּוּנִי גַם־סְבָבוּנִי בְּשֵׁם יְהוָה כִּי אֲמִילַם׃

12 סַבּוּנִי כִדְבוֹרִים דֹּעֲכוּ כְּאֵשׁ קוֹצִים בְּשֵׁם יְהוָה כִּי אֲמִילַם׃

13 דַּחֹה דְחִיתַנִי לִנְפֹּל וַיהוָה עֲזָרָנִי׃

14 עָזִּי וְזִמְרָת יָהּ וַיְהִי־לִי לִישׁוּעָה׃

15 קוֹל ׀ רִנָּה וִישׁוּעָה בְּאָהֳלֵי צַדִּיקִים יְמִין יְהוָה עֹשָׂה חָיִל׃

16 יְמִין יְהוָה רוֹמֵמָה יְמִין יְהוָה עֹשָׂה חָיִל׃

17 לֹא אָמוּת כִּי־אֶחְיֶה וַאֲסַפֵּר מַעֲשֵׂי יָהּ׃

18 יַסֹּר יִסְּרַנִּי יָּהּ וְלַמָּוֶת לֹא נְתָנָנִי׃

19 פִּתְחוּ־לִי שַׁעֲרֵי־צֶדֶק אָבֹא־בָם אוֹדֶה יָהּ׃

맛싸성경

10 모든 민족들이 나를 둘러쌌으나 여호와의 이름으로 내가 그들을 끊었도다. **11** 그들이 나를 둘러싸고 또한 나를 둘러쌌으나 여호와의 이름으로 내가 그들을 끊었도다. **12** 그들이 벌들처럼 나를 둘러쌌으나 그들은 가시덤불의 불처럼 소멸되었고 여호와의 이름으로 내가 그들을 끊었도다. **13** 참으로 나를 밀어 넘어지게 하였으나 여호와께서 나를 도우셨도다. **14** 여호와는 나의 힘과 찬송이시며 그분은 내게 구원이 되셨도다. **15** 의인들의 장막에는 (큰) 노래와 구원의 소리가 있으니 여호와의 오른손이 능력을 행하셨기 때문이라. **16** 여호와의 오른손이 높이 들리시며 여호와의 오른손이 능력을 행하셨도다. **17** 나는 죽지 않고 오히려 살 것이며 나는 여호와의 행하심을 선포할 것이라. **18** 여호와께서 참으로 나를 징계하셨으나 그분이 나를 죽음에는 넘기지 아니하셨도다. **19** 내게 의의 문들을 내게 열어라. 내가 그것들에 들어가 여호와께 (감사로) 노래할 것이라.

NET

10 All the nations surrounded me. Indeed, in the name of the Lord I pushed them away. **11** They surrounded me, yes, they surrounded me. Indeed, in the name of the Lord I pushed them away. **12** They surrounded me like bees. But they disappeared as quickly as a fire among thorns. Indeed, in the name of the Lord I pushed them away. **13** "You aggressively attacked me and tried to knock me down, but the Lord helped me. **14** The Lord gives me strength and protects me; he has become my deliverer." **15** They celebrate deliverance in the tents of the godly. The Lord's right hand conquers. **16** The Lord's right hand gives victory; the Lord's right hand conquers. **17** I will not die, but live, and I will proclaim what the Lord has done. **18** The Lord severely punished me, but he did not hand me over to death. **19** Open for me the gates of the just king's temple. I will enter through them and give thanks to the Lord.

118 WLC

20 זֶה־הַשַּׁעַר לַיהוָה צַדִּיקִים יָבֹאוּ בוֹ׃

21 אוֹדְךָ כִּי עֲנִיתָנִי וַתְּהִי־לִי לִישׁוּעָה׃

22 אֶבֶן מָאֲסוּ הַבּוֹנִים הָיְתָה לְרֹאשׁ פִּנָּה׃

23 מֵאֵת יְהוָה הָיְתָה זֹּאת הִיא נִפְלָאת בְּעֵינֵינוּ׃

24 זֶה־הַיּוֹם עָשָׂה יְהוָה נָגִילָה וְנִשְׂמְחָה בוֹ׃

25 אָנָּא יְהוָה הוֹשִׁיעָה נָּא אָנָּא יְהוָה הַצְלִיחָה נָּא׃

26 בָּרוּךְ הַבָּא בְּשֵׁם יְהוָה בֵּרַכְנוּכֶם מִבֵּית יְהוָה׃

27 אֵל ׀ יְהוָה וַיָּאֶר לָנוּ אִסְרוּ־חַג בַּעֲבֹתִים עַד־קַרְנוֹת הַמִּזְבֵּחַ׃

28 אֵלִי אַתָּה וְאוֹדֶךָּ אֱלֹהַי אֲרוֹמְמֶךָּ׃

29 הוֹדוּ לַיהוָה כִּי־טוֹב כִּי לְעוֹלָם חַסְדּוֹ׃

맛싸성경

20 이것은 여호와의 문이니 의인들이 그곳으로 들어
갈 것이라. **21** 나는 주께 (감사로) 노래하리니 이는 주
께서 내게 응답하셨고 그분이 내게 구원이 되셨음이
라. **22** 건축자들의 버린 돌이 모퉁이의 머릿 (돌)이 되
었도다. **23** 이것은 여호와께서 하신 것이고 이것은 우
리 눈(들)에 놀라운 일이로다. **24** 이날은 여호와께서
만드신 (정하신) 날이라. 우리는 기뻐하고 그 안에서
즐거워하자. **25** 여호와시여! 우리가 구하오니 제발
(우리를) 구원하소서. 여호와시여! 우리가 구하오니
제발 (우리에게) 번영을 주소서. **26** 복 있는 자는 여
호와의 이름으로 오는 자로다. 우리는 여호와의 집에
서 너희를 축복하노라. **27** 여호와는 하나님이시니 그
가 우리에게 빛을 주셨도다. 절기에 희생 제물의 제단
뿔까지 줄들을 매어라. **28** 주는 나의 하나님이시니 내
가 주께 (감사로) 노래할 것이며 (주는) 나의 하나님이
시니 내가 주를 높일 것이라. **29** 여호와께 (감사로) 찬
양하라. 이는 (그분은) 선하시고 그분의 인애 하심은
영원하심이라.

NET

20 This is the Lord's gate— the godly enter through
it. **21** I will give you thanks, for you answered me,
and have become my deliverer. **22** The stone that
the builders discarded has become the cornerstone.
23 This is the Lord's work. We consider it amazing!
24 This is the day the Lord has brought about. We
will be happy and rejoice in it. **25** Please, Lord,
deliver! Please, Lord, grant us success! **26** May the
one who comes in the name of the Lord be blessed.
We will pronounce blessings on you in the Lord's
temple. **27** The Lord is God, and he has delivered
us. Tie the offering with ropes to the horns of the
altar. **28** You are my God, and I will give you thanks.
You are my God, and I will praise you. **29** Give
thanks to the Lord, for he is good and his loyal love
endures.

119 WLC

1 אַשְׁרֵי תְמִימֵי־דָרֶךְ הַהֹלְכִים בְּתוֹרַת יְהוָה׃

2 אַשְׁרֵי נֹצְרֵי עֵדֹתָיו בְּכָל־לֵב יִדְרְשׁוּהוּ׃

3 אַף לֹא־פָעֲלוּ עַוְלָה בִּדְרָכָיו הָלָכוּ׃

4 אַתָּה צִוִּיתָה פִקֻּדֶיךָ לִשְׁמֹר מְאֹד׃

5 אַחֲלַי יִכֹּנוּ דְרָכָי לִשְׁמֹר חֻקֶּיךָ׃

6 אָז לֹא־אֵבוֹשׁ בְּהַבִּיטִי אֶל־כָּל־מִצְוֹתֶיךָ׃

7 אוֹדְךָ בְּיֹשֶׁר לֵבָב בְּלָמְדִי מִשְׁפְּטֵי צִדְקֶךָ׃

8 אֶת־חֻקֶּיךָ אֶשְׁמֹר אַל־תַּעַזְבֵנִי עַד־מְאֹד׃

맛싸성경

1 복 있는 자는 길이 온전하고 여호와의 율법으로 걷는 자이다. 2 복 있는 자는 그분의 증거(들)을 준수하는 자이고 온 마음을 다하여 그분을 추구하는 자이며 3 또한 불법을 행하지 아니하고 자기 길로 걷지 않도다. 4 주께서 주의 교훈(들)을 명령하셔서 열심히 지키게 하셨나이다. 5 오직(제발) 내 길을 확고하게 하셔서 주의 규례를 지키게 하소서. 6 그때 내가 부끄러워하지 않으리니 내가 주의 모든 명령(들)을 연구할 때이니이다. 7 내가 바른 마음으로 주께 찬양(감사)하나이다. 내가 주의 의로우신 심판(들)을 배울 때이니이다. 8 내가 주의 규례(들)를 지키오니 나를 완전히 버리지 마소서.

NET

1 א (Alef) How blessed are those whose actions are blameless, who obey the law of the Lord. 2 How blessed are those who observe his rules and seek him with all their heart, 3 who, moreover, do no wrong, but follow in his footsteps. 4 You demand that your precepts be carefully kept. 5 If only I were predisposed to keep your statutes. 6 Then I would not be ashamed, if I were focused on all your commands. 7 I will give you sincere thanks when I learn your just regulations. 8 I will keep your statutes. Do not completely abandon me.

9 בַּמֶּה יְזַכֶּה־נַּעַר אֶת־אָרְחוֹ לִשְׁמֹר כִּדְבָרֶךָ׃

10 בְּכָל־לִבִּי דְרַשְׁתִּיךָ אַל־תַּשְׁגֵּנִי מִמִּצְוֺתֶיךָ׃

11 בְּלִבִּי צָפַנְתִּי אִמְרָתֶךָ לְמַעַן לֹא אֶחֱטָא־לָךְ׃

12 בָּרוּךְ אַתָּה יְהוָה לַמְּדֵנִי חֻקֶּיךָ׃

13 בִּשְׂפָתַי סִפַּרְתִּי כֹּל מִשְׁפְּטֵי־פִיךָ׃

14 בְּדֶרֶךְ עֵדְוֺתֶיךָ שַׂשְׂתִּי כְּעַל כָּל־הוֹן׃

15 בְּפִקֻּדֶיךָ אָשִׂיחָה וְאַבִּיטָה אֹרְחֹתֶיךָ׃

16 בְּחֻקֹּתֶיךָ אֶשְׁתַּעֲשָׁע לֹא אֶשְׁכַּח דְּבָרֶךָ׃

맛싸성경

9 무엇으로 청년이 그 길을 깨끗하게 하겠나이까? 주
의 말씀대로 지키는 것이나이다. 10 내 모든 마음으
로 내가 주를 찾았나이다. 주의 명령(들)에서부터 길
을 잃지 말게 하소서. 11 내 마음에 주의 말씀을 내가
간직하였사오니 내가 주께 죄를 짓지 않을 것이나이
다. 12 주 여호와시여! 송축하나이다. 주의 규례(들)
을 내게 가르치소서. 13 내 입술로 주의 입의 모든 법
령(들)을 선포하였나이다. 14 주의 증거(들)의 길에서
내가 기뻐하였사오니 모든 재산만큼이나 그러하나이
다. 15 내가 주의 교훈(들)을 묵상하고 주의 길들을 내
가 자세히 주의할 것이나이다. 16 내가 주의 규례(들)
을 기뻐하고 내가 주의 말씀을 잊지 않겠나이다.

NET

9 ב (Bet) How can a young person maintain a pure
life? By guarding it according to your instructions.
10 With all my heart I seek you. Do not allow me to
stray from your commands. 11 In my heart I store
up your words, so I might not sin against you. 12
You deserve praise, O Lord. Teach me your statutes.
13 With my lips I proclaim all the regulations you
have revealed. 14 I rejoice in the lifestyle prescribed
by your rules as if they were riches of all kinds. 15 I
will meditate on your precepts and focus on your
behavior. 16 I find delight in your statutes; I do not
forget your instructions.

119 WLC

17 גְּמֹל עַל־עַבְדְּךָ אֶחְיֶה וְאֶשְׁמְרָה דְבָרֶךָ׃

18 גַּל־עֵינַי וְאַבִּיטָה נִפְלָאוֹת מִתּוֹרָתֶךָ׃

19 גֵּר אָנֹכִי בָאָרֶץ אַל־תַּסְתֵּר מִמֶּנִּי מִצְוֹתֶיךָ׃

20 גָּרְסָה נַפְשִׁי לְתַאֲבָה אֶל־מִשְׁפָּטֶיךָ בְכָל־עֵת׃

21 גָּעַרְתָּ זֵדִים אֲרוּרִים הַשֹּׁגִים מִמִּצְוֹתֶיךָ׃

22 גַּל מֵעָלַי חֶרְפָּה וָבוּז כִּי עֵדֹתֶיךָ נָצָרְתִּי׃

23 גַּם יָשְׁבוּ שָׂרִים בִּי נִדְבָּרוּ עַבְדְּךָ יָשִׂיחַ בְּחֻקֶּיךָ׃

24 גַּם־עֵדֹתֶיךָ שַׁעֲשֻׁעָי אַנְשֵׁי עֲצָתִי׃

맛싸성경

17 주의 종을 잘 대해 주소서. 내가 살 것이며 내가 주
의 말씀을 지키겠나이다. 18 내 눈을 열어주소서. 그
리하시면 내가 놀라우신 주의 율법을 주의하겠나이
다. 19 나는 이 땅에서 거류민으로 있으니 내게서 주
의 명령(들)을 숨기지 마소서. 20 내 영혼이 주의 법
령 (판단)(들)을 항상 사모함으로 쇠약하나이다. 21 주
께서 자만하여 저주받은 자들을 책망하셨나이다. 그
들은 주의 명령들로부터 길을 잃은 자들입니다. 22 내
게서부터 수치와 모욕을 굴려 버려주소서. 이는 내가
주의 증거를 준수함이니이다. 23 또한 통치자들이 앉
아서 나에 대해서 말하나(비방하나) 주의 종은 주의
규례를 묵상하나이다. 24 또한 주의 증거는 나의 기
쁨이며 내 조언의 사람들과 같나이다.

NET

17 ג (Gimel) Be kind to your servant. Then I will live and keep your instructions. 18 Open my eyes so I can truly see the marvelous things in your law. 19 I am a resident foreigner in this land. Do not hide your commands from me. 20 I desperately long to know your regulations at all times. 21 You reprimand arrogant people. Those who stray from your commands are doomed. 22 Spare me shame and humiliation, for I observe your rules. 23 Though rulers plot and slander me, your servant meditates on your statutes. 24 Yes, I find delight in your rules; they give me guidance.

25 דָּבְקָה לֶעָפָר נַפְשִׁי חַיֵּנִי כִּדְבָרֶךָ׃

26 דְּרָכַי סִפַּרְתִּי וַתַּעֲנֵנִי לַמְּדֵנִי חֻקֶּיךָ׃

27 דֶּרֶךְ־פִּקּוּדֶיךָ הֲבִינֵנִי וְאָשִׂיחָה בְּנִפְלְאוֹתֶיךָ׃

28 דָּלְפָה נַפְשִׁי מִתּוּגָה קַיְּמֵנִי כִּדְבָרֶךָ׃

29 דֶּרֶךְ־שֶׁקֶר הָסֵר מִמֶּנִּי וְתוֹרָתְךָ חָנֵּנִי׃

30 דֶּרֶךְ־אֱמוּנָה בָחָרְתִּי מִשְׁפָּטֶיךָ שִׁוִּיתִי׃

31 דָּבַקְתִּי בְעֵדְוֺתֶיךָ יְהוָה אַל־תְּבִישֵׁנִי׃

32 דֶּרֶךְ־מִצְוֺתֶיךָ אָרוּץ כִּי תַרְחִיב לִבִּי׃

맛싸성경

25 내 영혼이 흙에 붙었나이다. 주의 말씀대로 나를 살리소서. 26 내가 내 길을 선포하였더니 주께서 내게 응답하셨나이다. 주의 규례로 나를 가르치소서. 27 나로 주의 교훈의 길을 이해하게 하소서. 내가 주의 놀라운 일을 묵상하겠나이다. 28 내 영혼이 고통으로 인하여 슬퍼하나이다. 주의 말씀으로 나를 세우소서. 29 거짓된 길을 내게서부터 제거하시고 주의 율법으로 나에게 은혜를 베푸소서. 30 내가 신실함의 길을 선택하였사오니 내가 주의 판단을 (내 앞에) 두었나이다. 31 여호와시여! 내가 주의 증거를 가까이하였사오니 나를 부끄럽게 하지 마소서. 32 주께서 내 마음을 넓게 하시니 내가 주의 명령의 길로 달려가리이다.

NET

25 ד (Dalet) I collapse in the dirt. Revive me with your word. 26 I told you about my ways and you answered me. Teach me your statutes. 27 Help me to understand what your precepts mean. Then I can meditate on your marvelous teachings. 28 I collapse from grief. Sustain me by your word. 29 Remove me from the path of deceit. Graciously give me your law. 30 I choose the path of faithfulness; I am committed to your regulations. 31 I hold fast to your rules. O Lord, do not let me be ashamed. 32 I run along the path of your commands, for you enable me to do so.

33 הוֹרֵנִי יְהוָה דֶּרֶךְ חֻקֶּיךָ וְאֶצְּרֶנָּה עֵקֶב׃

34 הֲבִינֵנִי וְאֶצְּרָה תוֹרָתֶךָ וְאֶשְׁמְרֶנָּה בְכָל־לֵב׃

35 הַדְרִיכֵנִי בִּנְתִיב מִצְוֺתֶיךָ כִּי־בוֹ חָפָצְתִּי׃

36 הַט־לִבִּי אֶל־עֵדְוֺתֶיךָ וְאַל אֶל־בָּצַע׃

37 הַעֲבֵר עֵינַי מֵרְאוֹת שָׁוְא בִּדְרָכֶךָ חַיֵּנִי׃

38 הָקֵם לְעַבְדְּךָ אִמְרָתֶךָ אֲשֶׁר לְיִרְאָתֶךָ׃

39 הַעֲבֵר חֶרְפָּתִי אֲשֶׁר יָגֹרְתִּי כִּי מִשְׁפָּטֶיךָ טוֹבִים׃

40 הִנֵּה תָּאַבְתִּי לְפִקֻּדֶיךָ בְּצִדְקָתְךָ חַיֵּנִי׃

맛싸성경

33 여호와시여! 내게 주의 규례의 길을 가르치소서. 내가 끝까지 준수하겠나이다. 34 나로 이해하게 하소서. 내가 주의 율법을 준수하고 내가 온 마음으로 지킬 것이나이다. 35 나로 주의 명령의 길로 걷게 하소서. 이는 내가 거기서 기뻐하기 때문이니이다. 36 내 마음을 주의 증거들에게 향하게 하시고 (불법적) 이익에는 (향하지) 말게 하소서. 37 내 눈이 보는 헛된 것을 제거하시고 주의 길에서 나를 살리소서. 38 주의 종에게 주의 말씀을 확고하게 하소서. 주를 경외하는 자에게 이니이다. 39 내가 두려워하는 나의 모욕을 제거하소서. 이는 주의 판단은 선하심이니이다. 40 보소서, 내가 주의 교훈을 사모하였사오니 주의 의로우심으로 나를 살리소서.

NET

33 ה (He) Teach me, O Lord, the lifestyle prescribed by your statutes so that I might observe it continually. 34 Give me understanding so that I might observe your law and keep it with all my heart. 35 Guide me in the path of your commands, for I delight to walk in it. 36 Give me a desire for your rules, rather than for wealth gained unjustly. 37 Turn my eyes away from what is worthless. Revive me with your word. 38 Confirm to your servant your promise, which you made to the one who honors you. 39 Take away the insults that I dread. Indeed, your regulations are good. 40 Look, I long for your precepts. Revive me with your deliverance.

41 וִיבֹאֻנִי חֲסָדֶךָ יְהוָה תְּשׁוּעָתְךָ כְּאִמְרָתֶךָ׃

42 וְאֶעֱנֶה חֹרְפִי דָבָר כִּי־בָטַחְתִּי בִּדְבָרֶךָ׃

43 וְאַל־תַּצֵּל מִפִּי דְבַר־אֱמֶת עַד־מְאֹד כִּי לְמִשְׁפָּטֶךָ יִחָלְתִּי׃

44 וְאֶשְׁמְרָה תוֹרָתְךָ תָמִיד לְעוֹלָם וָעֶד׃

45 וְאֶתְהַלְּכָה בָרְחָבָה כִּי פִקֻּדֶיךָ דָרָשְׁתִּי׃

46 וַאֲדַבְּרָה בְעֵדֹתֶיךָ נֶגֶד מְלָכִים וְלֹא אֵבוֹשׁ׃

47 וְאֶשְׁתַּעֲשַׁע בְּמִצְוֹתֶיךָ אֲשֶׁר אָהָבְתִּי׃

48 וְאֶשָּׂא־כַפַּי אֶל־מִצְוֹתֶיךָ אֲשֶׁר אָהָבְתִּי וְאָשִׂיחָה בְחֻקֶּיךָ׃

맛싸성경

41 여호와시여! 주의 인애하심을 내게 임하게 하소서. 주의 말씀대로 주의 구원도 (임하게 하소서). 42 그러면 나를 모욕하는 자의 말에 (대하여) 내가 대답할 것이나이다. 이는 내가 주의 말씀을 신뢰하기 때문이니이다. 43 내 입에서 진리의 말씀을 영영히 빼앗아가지 마소서. 이는 나의 소망을 주의 판단에 두었기 때문이니이다. 44 그리하여 내가 주의 율법을 영원에서 영원까지 항상 지키리이다. 45 그리고 내가 넓은 곳에서 스스로 걸으리이다. 이는 내가 주의 교훈을 추구하였기 때문이니이다. 46 내가 왕들 앞에서 주의 증거에 대하여 말할 것이니 나는 창피를 당하지 않을 것이니이다. 47 나는 내가 사랑하는 주의 명령들을 스스로 기뻐하나이다. 48 나는 내가 사랑하는 주의 명령들에 내 손을 들어 올릴 것이며 나는 주의 규례를 묵상하리이다.

NET

41 ו (Vav) May I experience your loyal love, O Lord, and your deliverance, as you promised. 42 Then I will have a reply for the one who insults me, for I trust in your word. 43 Do not completely deprive me of a truthful testimony, for I await your justice. 44 Then I will keep your law continually now and for all time. 45 I will be secure, for I seek your precepts. 46 I will speak about your regulations before kings and not be ashamed. 47 I will find delight in your commands, which I love. 48 I will lift my hands to your commands, which I love, and I will meditate on your statutes.

119 WLC

49 זְכֹר־דָּבָר לְעַבְדֶּךָ עַל אֲשֶׁר יִחַלְתָּנִי׃

50 זֹאת נֶחָמָתִי בְעָנְיִי כִּי אִמְרָתְךָ חִיָּתְנִי׃

51 זֵדִים הֱלִיצֻנִי עַד־מְאֹד מִתּוֹרָתְךָ לֹא נָטִיתִי׃

52 זָכַרְתִּי מִשְׁפָּטֶיךָ מֵעוֹלָם ׀ יְהוָה וָאֶתְנֶחָם׃

53 זַלְעָפָה אֲחָזַתְנִי מֵרְשָׁעִים עֹזְבֵי תּוֹרָתֶךָ׃

54 זְמִרוֹת הָיוּ־לִי חֻקֶּיךָ בְּבֵית מְגוּרָי׃

55 זָכַרְתִּי בַלַּיְלָה שִׁמְךָ יְהוָה וָאֶשְׁמְרָה תּוֹרָתֶךָ׃

56 זֹאת הָיְתָה־לִּי כִּי פִקֻּדֶיךָ נָצָרְתִּי׃

맛싸성경

49 주의 종에게 (하신 주의) 말씀을 기억하소서. 주께
서 나로 소망하게 하신 것이나이다. 50 이것이 내 고
난 중에 나의 위로이나이다. 이는 주의 말씀이 나를
살리셨기 때문이니이다. 51 자만한 자가 나를 매우 조
롱하여도 나는 주의 율법에서부터 돌리지(떠나지) 않
나이다. 52 여호와시여! 내가 주의 판단을 영원히 기
억하나이다. 내가 그것으로 스스로 위로하나이다. 53
타오르는 분노가 나를 사로잡았으니 (이는) 사악한 자
들이 주의 율법을 버리기 때문이나이다. 54 주의 규
례들이 나의 거류하는 집에서 내게 찬송이 되었나이
다. 55 여호와시여! 내가 밤에도 주의 이름을 기억하
고 주의 율법을 지키나이다. 56 이것이 나의 소유가
되었나니 내가 주의 교훈(들)을 준수하였나이다.

NET

49 ז (Zayin) Remember your word to your servant,
for you have given me hope. 50 This is what
comforts me in my trouble, for your promise revives
me. 51 Arrogant people do nothing but scoff at me.
Yet I do not turn aside from your law. 52 I
remember your ancient regulations, O Lord, and
console myself. 53 Rage takes hold of me because
of the wicked, those who reject your law. 54 Your
statutes have been my songs in the house where I
live. 55 I remember your name during the night, O
Lord, and I will keep your law. 56 This has been my
practice, for I observe your precepts.

57 חֶלְקִי יְהוָה אָמַרְתִּי לִשְׁמֹר דְּבָרֶיךָ׃

58 חִלִּיתִי פָנֶיךָ בְכָל־לֵב חָנֵּנִי כְּאִמְרָתֶךָ׃

59 חִשַּׁבְתִּי דְרָכָי וָאָשִׁיבָה רַגְלַי אֶל־עֵדֹתֶיךָ׃

60 חַשְׁתִּי וְלֹא הִתְמַהְמָהְתִּי לִשְׁמֹר מִצְוֹתֶיךָ׃

61 חֶבְלֵי רְשָׁעִים עִוְּדֻנִי תּוֹרָתְךָ לֹא שָׁכָחְתִּי׃

62 חֲצוֹת־לַיְלָה אָקוּם לְהוֹדוֹת לָךְ עַל מִשְׁפְּטֵי צִדְקֶךָ׃

63 חָבֵר אָנִי לְכָל־אֲשֶׁר יְרֵאוּךָ וּלְשֹׁמְרֵי פִּקּוּדֶיךָ׃

64 חַסְדְּךָ יְהוָה מָלְאָה הָאָרֶץ חֻקֶּיךָ לַמְּדֵנִי׃

맛싸성경

57 여호와는 나의 재산(분깃)이시니 내가 주의 말씀을 지키리라 말하였나이다. 58 내가 전심으로 주의 얼굴을 간청하나이다. 주의 말씀대로 내게 은혜를 베푸소서. 59 내가 내 길들을 생각하고 내가 내 발을 주의 증거로 돌이켰나이다. 60 내가 서둘렀으며 주의 명령 지키기를 지체하지 않았나이다. 61 사악한 자들의 무리(줄)들이 나를 둘러쌌으나 나는 주의 율법을 잊어버리지 않았나이다. 62 한밤중에도 내가 일어나 주께 (감사로) 찬양하나니 주의 의로우신 판단 때문이니이다. 63 나는 주를 경외하는 모든 자와 친구이나이다. 주의 교훈들을 지키는 자도 (친구이나이다). 64 여호와시여! 주의 인애하심으로 땅에서 충만하게 하시고 나를 주의 규례들로 가르치소서.

NET

57 ח (Khet) The Lord is my source of security. I have determined to follow your instructions. 58 I seek your favor with all my heart. Have mercy on me as you promised. 59 I consider my actions and follow your rules. 60 I keep your commands eagerly and without delay. 61 The ropes of the wicked tighten around me, but I do not forget your law. 62 In the middle of the night I arise to thank you for your just regulations. 63 I am a friend to all your loyal followers and to those who keep your precepts. 64 O Lord, your loyal love fills the earth. Teach me your statutes!

65 טוֹב עָשִׂיתָ עִם־עַבְדְּךָ יְהוָה כִּדְבָרֶךָ׃

66 טוּב טַעַם וָדַעַת לַמְּדֵנִי כִּי בְמִצְוֺתֶיךָ הֶאֱמָנְתִּי׃

67 טֶרֶם אֶעֱנֶה אֲנִי שֹׁגֵג וְעַתָּה אִמְרָתְךָ שָׁמָרְתִּי׃

68 טוֹב־אַתָּה וּמֵטִיב לַמְּדֵנִי חֻקֶּיךָ׃

69 טָפְלוּ עָלַי שֶׁקֶר זֵדִים אֲנִי בְּכָל־לֵב ׀ אֱצֹּר פִּקּוּדֶיךָ׃

70 טָפַשׁ כַּחֵלֶב לִבָּם אֲנִי תּוֹרָתְךָ שִׁעֲשָׁעְתִּי׃

71 טוֹב־לִי כִי־עֻנֵּיתִי לְמַעַן אֶלְמַד חֻקֶּיךָ׃

72 טוֹב־לִי תוֹרַת־פִּיךָ מֵאַלְפֵי זָהָב וָכָסֶף׃

맛싸성경

65 여호와시여! 주의 말씀을 따라 (행하였으니) 주께
서 주의 종에게 잘 대해주셨나이다. 66 좋은 판단과
지식으로 나를 가르치소서. 이는 내가 주의 명령들을
믿기 때문이니이다. 67 내가 고통을 당하기 전에 나
는 길을 잃었으나 이제는 내가 주의 말씀을 지키나이
다. 68 주는 선하시고 선을 행하시니 주의 규례를 내
게 가르치소서. 69 자만한 자들은 내게 거짓을 꾸몄
으나 나는 전심으로 주의 교훈을 지킬 것이니이다. 70
그들의 마음은 기름진 것 같아서 무감각하나 나는 주
의 율법을 즐거워하나이다. 71 내게는 내가 고난받는
것이 좋사오니 그리하여 내가 주의 규례들을 배우게
되었나이다. 72 내게는 주의 입의 율법이 수천의 금
이나 은보다도 좋나이다.

NET

65 ט (Tet) You are good to your servant, O Lord, just
as you promised. 66 Teach me proper discernment
and understanding. For I consider your commands
to be reliable. 67 Before I was afflicted I used to stray
off, but now I keep your instructions. 68 You are
good and you do good. Teach me your statutes. 69
Arrogant people smear my reputation with lies, but
I observe your precepts with all my heart. 70 Their
hearts are calloused, but I find delight in your law.
71 It was good for me to suffer so that I might learn
your statutes. 72 The law you have revealed is more
important to me than thousands of pieces of gold
and silver.

73 יָדֶיךָ עָשׂוּנִי וַיְכוֹנְנוּנִי הֲבִינֵנִי וְאֶלְמְדָה מִצְוֺתֶיךָ׃

74 יְרֵאֶיךָ יִרְאוּנִי וְיִשְׂמָחוּ כִּי לִדְבָרְךָ יִחָלְתִּי׃

75 יָדַעְתִּי יְהוָה כִּי־צֶדֶק מִשְׁפָּטֶיךָ וֶאֱמוּנָה עִנִּיתָנִי׃

76 יְהִי־נָא חַסְדְּךָ לְנַחֲמֵנִי כְּאִמְרָתְךָ לְעַבְדֶּךָ׃

77 יְבֹאוּנִי רַחֲמֶיךָ וְאֶחְיֶה כִּי־תוֹרָתְךָ שַׁעֲשֻׁעָי׃

78 יֵבֹשׁוּ זֵדִים כִּי־שֶׁקֶר עִוְּתוּנִי אֲנִי אָשִׂיחַ בְּפִקּוּדֶיךָ׃

79 יָשׁוּבוּ לִי יְרֵאֶיךָ [וְיָדְעוּ כ] (וְיֹדְעֵי ק) עֵדֹתֶיךָ׃

80 יְהִי־לִבִּי תָמִים בְּחֻקֶּיךָ לְמַעַן לֹא אֵבוֹשׁ׃

맛싸성경

73 주의 손이 나를 만드시고 나를 세우셨나이다. 내게 이해력을 더하사 나로 주의 명령을 배우게 하소서. 74 주를 경외하는 그들은 나를 보고 기뻐할 것이니 이는 내가 주의 말씀에 소망을 두었음이니이다. 75 여호와시여! 주의 심판은 의로우신 것을 내가 아나이다. 신실하심으로 나로 고난받게 하셨나이다. 76 주의 인애로 위로함이 있게 하소서. 주의 말씀을 따라 주의 종에게 (위로함이) 있게 하소서. 77 주의 긍휼하심이 내게 임하면 내가 살 것입니다. 주의 율법은 내 기쁨입니다. 78 자만한 자들이 나를 거짓으로 미혹하였으니 그들로 창피를 당하게 하소서. 나는 주의 교훈들을 묵상하리이다. 79 주를 경외하는 자들로 내게 돌아오게 하셔서 그들로 주의 증거를 알게 하소서. 80 내 마음이 주의 규례들에 온전함이 있게 하소서. 그리하시면 내가 창피를 당하지 아니하리이다.

NET

73 י (Yod) Your hands made me and formed me. Give me understanding so that I might learn your commands. 74 Your loyal followers will be glad when they see me, for I find hope in your word. 75 I know, Lord, that your regulations are just. You disciplined me because of your faithful devotion to me. 76 May your loyal love console me, as you promised your servant. 77 May I experience your compassion so I might live. For I find delight in your law. 78 May the arrogant be humiliated, for they have slandered me. But I meditate on your precepts. 79 May your loyal followers turn to me, those who know your rules. 80 May I be fully committed to your statutes, so that I might not be ashamed.

81 כָּלְתָה לִתְשׁוּעָתְךָ נַפְשִׁי לִדְבָרְךָ יִחָלְתִּי׃

82 כָּלוּ עֵינַי לְאִמְרָתֶךָ לֵאמֹר מָתַי תְּנַחֲמֵנִי׃

83 כִּֽי־הָיִיתִי כְּנֹאד בְּקִיטוֹר חֻקֶּיךָ לֹא שָׁכָחְתִּי׃

84 כַּמָּה יְמֵֽי־עַבְדֶּךָ מָתַי תַּעֲשֶׂה בְרֹדְפַי מִשְׁפָּט׃

85 כָּֽרוּ־לִי זֵדִים שִׁיחוֹת אֲשֶׁר לֹא כְתוֹרָתֶךָ׃

86 כָּל־מִצְוֺתֶיךָ אֱמוּנָה שֶׁקֶר רְדָפוּנִי עָזְרֵנִי׃

87 כִּמְעַט כִּלּוּנִי בָאָרֶץ וַאֲנִי לֹא־עָזַבְתִּי פִקֻּדֶיךָ׃

88 כְּחַסְדְּךָ חַיֵּנִי וְאֶשְׁמְרָה עֵדוּת פִּיךָ׃

맛싸성경

81 내 영혼이 주의 구원을 사모하나이다. 내가 주의 말씀을 소망하나이다. **82** 내 눈이 주의 말씀을 사모하나이다. 말하기를 "주께서 언제 나를 위로하실까?" (하나이다). **83** 이는 내가 연기 속의 (가죽) 병같이 되었으나 내가 주의 규례들을 잊지 아니하였나이다. **84** 주의 종의 날이 얼마나 되나이까? 언제 주께서 나를 박해하는 자들에게 심판을 행하시나이까? **85** 자만한 자들이 나에게 함정을 팠으니 그들은 주의 율법을 따르지 않는 자들이니이다. **86** 주의 모든 명령들은 신실하나이다. 그들은 거짓으로 나를 박해하오니 나를 도우소서. **87** 그들이 이 땅에서 나를 거의 삼키려 하오나 나는 주의 교훈을 버리지 아니하였나이다. **88** 주의 인애하심을 따라 나를 살리소서. 내가 주의 입의 증거를 지키리이다.

NET

81 כ (Kaf) I desperately long for your deliverance. I find hope in your word. **82** My eyes grow tired as I wait for your promise to be fulfilled. I say, "When will you comfort me?" **83** For I am like a wineskin dried up in smoke. I do not forget your statutes. **84** How long must your servant endure this? When will you judge those who pursue me? **85** The arrogant dig pits to trap me, which violates your law. **86** All your commands are reliable. I am pursued without reason. Help me! **87** They have almost destroyed me here on the earth, but I do not reject your precepts. **88** Revive me with your loyal love that I might keep the rules you have revealed.

119 WLC

89 לְעוֹלָם יְהוָה דְּבָרְךָ נִצָּב בַּשָּׁמָיִם׃

90 לְדֹר וָדֹר אֱמוּנָתֶךָ כּוֹנַנְתָּ אֶרֶץ וַתַּעֲמֹד׃

91 לְמִשְׁפָּטֶיךָ עָמְדוּ הַיּוֹם כִּי הַכֹּל עֲבָדֶיךָ׃

92 לוּלֵי תוֹרָתְךָ שַׁעֲשֻׁעָי אָז אָבַדְתִּי בְעָנְיִי׃

93 לְעוֹלָם לֹא־אֶשְׁכַּח פִּקּוּדֶיךָ כִּי בָם חִיִּיתָנִי׃

94 לְךָ־אֲנִי הוֹשִׁיעֵנִי כִּי פִקּוּדֶיךָ דָרָשְׁתִּי׃

95 לִי קִוּוּ רְשָׁעִים לְאַבְּדֵנִי עֵדֹתֶיךָ אֶתְבּוֹנָן׃

96 לְכָל תִּכְלָה רָאִיתִי קֵץ רְחָבָה מִצְוָתְךָ מְאֹד׃

맛싸성경

89 여호와시여! 주의 말씀은 영원히 하늘에 (굳게) 서 있나이다. **90** 주의 신실하심은 대대로 있나이다. 주께서 땅을 세우시니 그것(땅)이 서 있나이다. **91** (그것들이) 주의 판단으로 오늘까지 서 있으니 이는 모든 것이 주의 종들이기 때문이나이다. **92** 만일 주의 율법이 나의 기쁨이 아니었다면 그때 나는 고난 가운데 멸망하였을 것이니이다. **93** 주의 교훈을 내가 영원히 잊지 않을 것이니 이는 주께서 그것으로 나를 살리셨기 때문이니이다. **94** 나는 주의 것이오니 나를 구원하소서. 이는 내가 주의 교훈을 추구했기 때문이니이다. **95** 사악한 자들이 나를 멸하려고 나를 기다렸으나 나는 주의 증거에만 주의를 집중하나이다. **96** 나는 모든 완전함의 마지막(끝)을 보았으나 주의 명령은 지극히 넓나이다.

NET

89 ל (Lamed) O Lord, your instructions endure; they stand secure in heaven. **90** You demonstrate your faithfulness to all generations. You established the earth and it stood firm. **91** Today they stand firm by your decrees, for all things are your servants. **92** If I had not found encouragement in your law, I would have died in my sorrow. **93** I will never forget your precepts, for by them you have revived me. **94** I belong to you. Deliver me! For I seek your precepts. **95** The wicked prepare to kill me, yet I concentrate on your rules. **96** I realize that everything has its limits, but your commands are beyond full comprehension.

97 מָה־אָהַבְתִּי תוֹרָתֶךָ כָּל־הַיּוֹם הִיא שִׂיחָתִי׃

98 מֵאֹיְבַי תְּחַכְּמֵנִי מִצְוֺתֶךָ כִּי לְעוֹלָם הִיא־לִי׃

99 מִכָּל־מְלַמְּדַי הִשְׂכַּלְתִּי כִּי עֵדְוֺתֶיךָ שִׂיחָה לִי׃

100 מִזְּקֵנִים אֶתְבּוֹנָן כִּי פִקּוּדֶיךָ נָצָרְתִּי׃

101 מִכָּל־אֹרַח רָע כָּלִאתִי רַגְלָי לְמַעַן אֶשְׁמֹר דְּבָרֶךָ׃

102 מִמִּשְׁפָּטֶיךָ לֹא־סָרְתִּי כִּי־אַתָּה הוֹרֵתָנִי׃

103 מַה־נִּמְלְצוּ לְחִכִּי אִמְרָתֶךָ מִדְּבַשׁ לְפִי׃

104 מִפִּקּוּדֶיךָ אֶתְבּוֹנָן עַל־כֵּן שָׂנֵאתִי ׀ כָּל־אֹרַח שָׁקֶר׃

맛싸성경

97 내가 주의 율법을 얼마나 사랑하는지요. 내가 온종일 그것을 묵상하나이다. **98** 주의 명령이 원수보다도 나를 더 지혜롭게 하시니 이는 그것이 영원히 나와 함께 있음이니이다. **99** 나는 나를 가르치는 모든 자(스승)들보다 더 통찰력을 가졌으니 이는 주의 증거가 내게 묵상이 되었음이니이다. **100** 내가 원로보다도 더 이해력 있게 행동하였으니 이는 내가 주의 교훈을 준수하였음이니이다. **101** 내가 나의 걸음을 모든 악한 길에서 금하였으니 내가 주의 말씀을 지키기 위함이나이다. **102** 내가 주의 판단에서 떠나지 아니하였으니 이는 주께서 나를 가르쳤기 때문이니이다. **103** 주의 말씀이 내 입천장 맛에 얼마나 부드러운지요. 내 입에서 꿀보다 더 (좋나이다). **104** 주의 교훈들을 통하여 내가 이해력을 얻으니 그러므로 내가 모든 거짓의 길을 미워하나이다.

NET

97 מ (Mem) O how I love your law! All day long I meditate on it. **98** Your commandments make me wiser than my enemies, for I am always aware of them. **99** I have more insight than all my teachers, for I meditate on your rules. **100** I am more discerning than those older than I, for I observe your precepts. **101** I stay away from every evil path, so that I might keep your instructions. **102** I do not turn aside from your regulations, for you teach me. **103** Your words are sweeter in my mouth than honey! **104** Your precepts give me discernment. Therefore I hate all deceitful actions.

119 WLC

105 נֵר־לְרַגְלִי דְבָרֶךָ וְאוֹר לִנְתִיבָתִי׃

106 נִשְׁבַּעְתִּי וָאֲקַיֵּמָה לִשְׁמֹר מִשְׁפְּטֵי צִדְקֶךָ׃

107 נַעֲנֵיתִי עַד־מְאֹד יְהוָה חַיֵּנִי כִדְבָרֶךָ׃

108 נִדְבוֹת פִּי רְצֵה־נָא יְהוָה וּמִשְׁפָּטֶיךָ לַמְּדֵנִי׃

109 נַפְשִׁי בְכַפִּי תָמִיד וְתוֹרָתְךָ לֹא שָׁכָחְתִּי׃

110 נָתְנוּ רְשָׁעִים פַּח לִי וּמִפִּקּוּדֶיךָ לֹא תָעִיתִי׃

111 נָחַלְתִּי עֵדְוֺתֶיךָ לְעוֹלָם כִּי־שְׂשׂוֹן לִבִּי הֵמָּה׃

112 נָטִיתִי לִבִּי לַעֲשׂוֹת חֻקֶּיךָ לְעוֹלָם עֵקֶב׃

맛싸성경

105 주의 말씀은 내 발에 등불이요 내 길에 빛이니이다. **106** 내가 맹세하고 확증하였나니 내가 주의 의로우신 판단을 지키려 함이니이다. **107** 여호와시여! 내가 심하게 고통당하니 주의 말씀으로 나를 살리소서. **108** 여호와시여! 내 입에서 자원제를 받으시고 주의 심판으로 나를 가르치소서. **109** 내 영혼이 항상 위험에(손바닥에) 있사오나 나는 주의 율법을 잊지 않겠나이다. **110** 사악한 자들이 내게 올무를 두었으나 나는 주의 교훈들에서 방황하지 않나이다. **111** 주의 증거들로 내 영원한 소유를 삼았으니 이는 그것들이 내 마음에 기쁨이니이다. **112** 내가 주의 규례들을 끝까지 영원토록 행하려고 내 마음을 향하였나이다(기울였나이다).

NET

105 נ (Nun) Your word is a lamp to walk by and a light to illumine my path. **106** I have vowed and solemnly sworn to keep your just regulations. **107** I am suffering terribly. O Lord, revive me with your word. **108** O Lord, please accept the freewill offerings of my praise. Teach me your regulations. **109** My life is in continual danger, but I do not forget your law. **110** The wicked lay a trap for me, but I do not wander from your precepts. **111** I claim your rules as my permanent possession, for they give me joy. **112** I am determined to obey your statutes at all times, to the very end.

119 WLC

113 סֵעֲפִים שָׂנֵאתִי וְתוֹרָתְךָ אָהָבְתִּי׃

114 סִתְרִי וּמָגִנִּי אָתָּה לִדְבָרְךָ יִחָלְתִּי׃

115 סוּרוּ־מִמֶּנִּי מְרֵעִים וְאֶצְּרָה מִצְוֺת אֱלֹהָי׃

116 סָמְכֵנִי כְאִמְרָתְךָ וְאֶחְיֶה וְאַל־תְּבִישֵׁנִי מִשִּׂבְרִי׃

117 סְעָדֵנִי וְאִוָּשֵׁעָה וְאֶשְׁעָה בְחֻקֶּיךָ תָמִיד׃

118 סָלִיתָ כָּל־שׁוֹגִים מֵחֻקֶּיךָ כִּי־שֶׁקֶר תַּרְמִיתָם׃

119 סִגִים הִשְׁבַּתָּ כָל־רִשְׁעֵי־אָרֶץ לָכֵן אָהַבְתִּי עֵדֹתֶיךָ׃

120 סָמַר מִפַּחְדְּךָ בְשָׂרִי וּמִמִּשְׁפָּטֶיךָ יָרֵאתִי׃

맛싸성경

113 내가 (마음이) 나뉜 자들을 미워하나 내가 주의 율법을 사랑하나이다. 114 주는 나의 피난처시고 나의 방패이시니 내가 주의 말씀에 소망을 가지나이다. 115 악인들이여, 내게서 떠날지어다. 나는 하나님의 명령들을 준수할 것이라. 116 주의 말씀을 따라 나를 붙드소서 그러면 내가 살 것입니다. 내 소망이 부끄러워지지 않게 하소서. 117 나를 지지해 주소서. 그리하시면 내가 구원을 받을 것이며 내가 주의 규례들을 항상 응시할 것이니이다. 118 주께서 주의 규례에서 헤매는 자들을 거절 하시리니 이는 그들의 속임수는 거짓이기 때문이니이다. 119 주께서 땅의 모든 사악한 자들을 찌꺼기같이 사라지게 하시나이다. 그러므로 내가 주의 증거들을 사랑하나이다. 120 내 육체가 주를 두려워함으로 떨고 내가 주의 심판들을 경외하나이다.

NET

113 ס (Samek) I hate people with divided loyalties, but I love your law. 114 You are my hiding place and my shield. I find hope in your word. 115 Turn away from me, you evil men, so that I can observe the commands of my God. 116 Sustain me as you promised, so that I will live. Do not disappoint me. 117 Support me so that I will be delivered. Then I will focus on your statutes continually. 118 You despise all who stray from your statutes, for such people are deceptive and unreliable. 119 You remove all the wicked of the earth like slag. Therefore I love your rules. 120 My body trembles because I fear you; I am afraid of your judgments.

119 WLC

121 עָשִׂיתִי מִשְׁפָּט וָצֶדֶק בַּל־תַּנִּיחֵנִי לְעֹשְׁקָי׃

122 עֲרֹב עַבְדְּךָ לְטוֹב אַל־יַעַשְׁקֻנִי זֵדִים׃

123 עֵינַי כָּלוּ לִישׁוּעָתֶךָ וּלְאִמְרַת צִדְקֶךָ׃

124 עֲשֵׂה עִם־עַבְדְּךָ כְחַסְדֶּךָ וְחֻקֶּיךָ לַמְּדֵנִי׃

125 עַבְדְּךָ־אָנִי הֲבִינֵנִי וְאֵדְעָה עֵדֹתֶיךָ׃

126 עֵת לַעֲשׂוֹת לַיהוָה הֵפֵרוּ תּוֹרָתֶךָ׃

127 עַל־כֵּן אָהַבְתִּי מִצְוֺתֶיךָ מִזָּהָב וּמִפָּז׃

128 עַל־כֵּן ׀ כָּל־פִּקּוּדֵי כֹל יִשָּׁרְתִּי כָּל־אֹרַח שֶׁקֶר שָׂנֵאתִי׃

맛싸성경

121 내가 공평과 정의를 행하였나니 나로 압제자들에게 버려두지 마소서. 122 주의 종에게 행복(선하심)을 위한 보증이 되시며 자만한 자들로 나를 압제하지 말게 하소서. 123 내 눈이 주의 구원을 향해(위하여) 쇠하였고 주의 의의 말씀으로 향하나이다. 124 주의 종에게 주의 인애하심을 따라 행하시고 주의 규례로 나를 가르치소서. 125 나는 주의 종이오니 내게 이해력을 주셔서 나로 주의 증거들을 알게 하소서. 126 그들은 주의 율법을 어겼으니 (이제는) 여호와께서 행하셔야 할 때이니이다. 127 그러므로 내가 주의 명령을 사랑하니 금보다 순금보다 더 하나이다. 128 그러므로 나는 모든 (주의) 교훈을 주의하여 지키고 모든 거짓된 길을 미워하나이다.

NET

121 ע (Ayin) I do what is fair and right. Do not abandon me to my oppressors. 122 Guarantee the welfare of your servant. Do not let the arrogant oppress me. 123 My eyes grow tired as I wait for your deliverance, for your reliable promise to be fulfilled. 124 Show your servant your loyal love. Teach me your statutes. 125 I am your servant. Give me insight, so that I can understand your rules. 126 It is time for the Lord to act— they break your law. 127 For this reason I love your commands more than gold, even purest gold. 128 For this reason I carefully follow all your precepts. I hate all deceitful actions.

129 פְּלָאוֹת עֵדְוֹתֶיךָ עַל־כֵּן נְצָרָתַם נַפְשִׁי׃

130 פֵּתַח דְּבָרֶיךָ יָאִיר מֵבִין פְּתָיִים׃

131 פִּי־פָעַרְתִּי וָאֶשְׁאָפָה כִּי לְמִצְוֹתֶיךָ יָאָבְתִּי׃

132 פְּנֵה־אֵלַי וְחָנֵּנִי כְּמִשְׁפָּט לְאֹהֲבֵי שְׁמֶךָ׃

133 פְּעָמַי הָכֵן בְּאִמְרָתֶךָ וְאַל־תַּשְׁלֶט־בִּי כָל־אָוֶן׃

134 פְּדֵנִי מֵעֹשֶׁק אָדָם וְאֶשְׁמְרָה פִּקּוּדֶיךָ׃

135 פָּנֶיךָ הָאֵר בְּעַבְדֶּךָ וְלַמְּדֵנִי אֶת־חֻקֶּיךָ׃

136 פַּלְגֵי־מַיִם יָרְדוּ עֵינָי עַל לֹא־שָׁמְרוּ תוֹרָתֶךָ׃

맛싸성경

129 주의 증거들은 경이롭습니다. 그러므로 내 영혼이 그것들을 준수하나이다. 130 주의 말씀들의 문은 빛을 비추며 미숙한 자들에게 이해력을 주시나이다. 131 (내가) 내 입을 넓게 열었고 헐떡거렸으니 이는 내가 주의 명령들을 사모함이니이다. 132 내게로 돌려주소서. 주의 이름을 사랑하는 자들에게 공의를 따라 내게 은혜를 베푸소서. 133 내 발걸음(들)을 주의 말씀에 굳게 하시고 모든 사악함이 나를 주장하지 못하게 하소서. 134 압제하는 사람에게서 나를 구속하소서. 그리하시면 내가 주의 교훈들을 지키리이다. 135 주의 얼굴을 주의 종에게 비추시고 주의 규례들로 나를 가르치소서. 136 물줄기(같이) 내 눈(눈물)이 흘러내리니 주의 율법을 지키지 않기 때문이니이다.

NET

129 פ (Pe) Your rules are marvelous. Therefore I observe them. 130 Your instructions are a doorway through which light shines. They give insight to the untrained. 131 I open my mouth and pant, because I long for your commands. 132 Turn toward me and extend mercy to me, as you typically do to your loyal followers. 133 Direct my steps by your word. Do not let any sin dominate me. 134 Deliver me from oppressive men, so that I can keep your precepts. 135 Smile on your servant. Teach me your statutes! 136 Tears stream down from my eyes, because people do not keep your law.

137 צַדִּיק אַתָּה יְהוָה וְיָשָׁר מִשְׁפָּטֶיךָ׃

138 צִוִּיתָ צֶדֶק עֵדֹתֶיךָ וֶאֱמוּנָה מְאֹד׃

139 צִמְּתַתְנִי קִנְאָתִי כִּֽי־שָׁכְחוּ דְבָרֶיךָ צָרָֽי׃

140 צְרוּפָה אִמְרָתְךָ מְאֹד וְעַבְדְּךָ אֲהֵבָֽהּ׃

141 צָעִיר אָנֹכִי וְנִבְזֶה פִּקֻּדֶיךָ לֹא שָׁכָֽחְתִּי׃

142 צִדְקָתְךָ צֶדֶק לְעוֹלָם וְתוֹרָתְךָ אֱמֶֽת׃

143 צַר־וּמָצוֹק מְצָאוּנִי מִצְוֺתֶיךָ שַֽׁעֲשֻׁעָֽי׃

144 צֶדֶק עֵדְוֺתֶיךָ לְעוֹלָם הֲבִינֵנִי וְאֶחְיֶֽה׃

맛싸성경

137 여호와시여! 주는 의로우시고 주의 판단은 바르시나이다. **138** 주가 명령하신 주의 증거들은 의롭고 (끝까지) 신실하시나이다. **139** 내 열심이 나를 잠잠하게 하나니 이는 내 대적들이 주의 말씀들을 잊었음이니이다. **140** 주의 말씀은 대단히 정결하나니 주의 종이 그것을 사랑하나이다. **141** 나는 미약하고 멸시당하나 주의 교훈들을 잊지 아니 하나이다. **142** 주의 의는 영원하신 의이고 주의 율법은 진리니이다. **143** 고난과 고통이 내게 이르렀으나 주의 명령들은 내 기쁨이나이다. **144** 주의 증거는 영원토록 의로우니 내게 이해력을 주셔서 나로 살게 하소서.

NET

137 צ (Tsade) You are just, O Lord, and your judgments are fair. **138** The rules you impose are just and absolutely reliable. **139** My zeal consumes me, for my enemies forget your instructions. **140** Your word is absolutely pure, and your servant loves it. **141** I am insignificant and despised, yet I do not forget your precepts. **142** Your justice endures, and your law is reliable. **143** Distress and hardship confront me, yet I find delight in your commands. **144** Your rules remain just. Give me insight so that I can live.

145 קָרָאתִי בְכָל־לֵב עֲנֵנִי יְהוָה חֻקֶּיךָ אֶצֹּרָה׃

146 קְרָאתִיךָ הוֹשִׁיעֵנִי וְאֶשְׁמְרָה עֵדֹתֶיךָ׃

147 קִדַּמְתִּי בַנֶּשֶׁף וָאֲשַׁוֵּעָה [לִדְבָרֶיךָ כ] (לִדְבָרְךָ ק) יִחָלְתִּי׃

148 קִדְּמוּ עֵינַי אַשְׁמֻרוֹת לָשִׂיחַ בְּאִמְרָתֶךָ׃

149 קוֹלִי שִׁמְעָה כְחַסְדֶּךָ יְהוָה כְּמִשְׁפָּטֶךָ חַיֵּנִי׃

150 קָרְבוּ רֹדְפֵי זִמָּה מִתּוֹרָתְךָ רָחָקוּ׃

151 קָרוֹב אַתָּה יְהוָה וְכָל־מִצְוֺתֶיךָ אֱמֶת׃

152 קֶדֶם יָדַעְתִּי מֵעֵדֹתֶיךָ כִּי לְעוֹלָם יְסַדְתָּם׃

맛싸성경

145 여호와시여! 내가 온 마음으로 부르짖었나니 (내게) 응답하소서. 내가 주의 규례를 준수하겠나이다. **146** 내가 주께 부르짖었나니 나를 구원하소서. 그리하시면 내가 주의 증거(들)을 지키리이다. **147** 내가 미명에 기대하고 부르짖나이다. 내가 주의 말씀에 소망을 가지나이다. **148** 내 눈이 밤까지 기대하나니 (나는) 주의 말씀을 묵상하리이다. **149** 여호와시여! 주의 인애를 따라서 내 목소리를 들으소서. 주의 판단을 따라 나를 살리소서. **150** 악한 계획으로 나를 쫓아오는 자들이 가까이 왔나이다. 그들은 주의 율법에서 멀어졌나이다. **151** 그러나 여호와시여! 주는 가까이 계시나니 주의 명령들은 진리니이다. **152** 옛적에 내가 주의 증거들을 알았으니 이는 주께서 그것들을 영영히 두셨음이니이다.

NET

145 ק (Qof) I cried out with all my heart, "Answer me, O Lord! I will observe your statutes." **146** I cried out to you, "Deliver me, so that I can keep your rules." **147** I am up before dawn crying for help. I find hope in your word. **148** My eyes anticipate the nighttime hours so that I can meditate on your word. **149** Listen to me because of your loyal love. O Lord, revive me, as you typically do. **150** Those who are eager to do wrong draw near; they are far from your law. **151** You are near, O Lord, and all your commands are reliable. **152** I learned long ago that you ordained your rules to last.

153 רְאֵה־עָנְיִי וְחַלְּצֵנִי כִּי־תֽוֹרָתְךָ לֹא שָׁכָֽחְתִּי׃

154 רִיבָה רִיבִי וּגְאָלֵנִי לְאִמְרָתְךָ חַיֵּֽנִי׃

155 רָחוֹק מֵרְשָׁעִים יְשׁוּעָה כִּי־חֻקֶּיךָ לֹא דָרָֽשׁוּ׃

156 רַחֲמֶיךָ רַבִּים ׀ יְהֹוָה כְּֽמִשְׁפָּטֶיךָ חַיֵּֽנִי׃

157 רַבִּים רֹדְפַי וְצָרָי מֵעֵדְוֺתֶיךָ לֹא נָטִֽיתִי׃

158 רָאִיתִי בֹגְדִים וָאֶתְקוֹטָטָה אֲשֶׁר אִמְרָתְךָ לֹא שָׁמָֽרוּ׃

159 רְאֵה כִּי־פִקּוּדֶיךָ אָהָבְתִּי יְהֹוָה כְּחַסְדְּךָ חַיֵּֽנִי׃

160 רֹאשׁ־דְּבָרְךָ אֱמֶת וּלְעוֹלָם כָּל־מִשְׁפַּט צִדְקֶֽךָ׃

맛싸성경

153 나의 고난을 보시고 나를 구출하소서. 이는 내가 주의 율법을 잊지 아니하였음이니이다. 154 나의 소송을 변호하시고 나를 구속하소서. 주의 말씀으로 나를 살게 하소서. 155 사악한 자들에게는 구원이 멀리 있나니 이는 그들이 주의 규례를 (추)구하지 않았음이니이다. 156 여호와시여! 주의 긍휼하심이 많으시나이다. 주의 판단을 따라 나를 살게 하소서. 157 나를 박해하는 자들과 나의 대적자들이 많으나 주의 증거들에서 나는 떨어지지 않았나이다. 158 내가 배신자들을 보고 스스로 싫어하니 그들이 주의 말씀을 지키지 않음이니이다. 159 여호와시여! 내가 주의 교훈(들)을 얼마나 사랑하는지 보소서. 주의 인애함을 따라 나를 살리소서. 160 주의 말씀의 핵심은 진리이고 모든 주의 의로우신 심판은 영원하시도다.

NET

153 ר (Resh) See my pain and rescue me. For I do not forget your law. 154 Fight for me and defend me. Revive me with your word. 155 The wicked have no chance for deliverance, for they do not seek your statutes. 156 Your compassion is great, O Lord. Revive me, as you typically do. 157 The enemies who chase me are numerous. Yet I do not turn aside from your rules. 158 I take note of the treacherous and despise them, because they do not keep your instructions. 159 See how I love your precepts. O Lord, revive me with your loyal love. 160 Your instructions are totally reliable; all your just regulations endure.

161 שָׂרִים רְדָפוּנִי חִנָּם [וּמִדְּבָרֶיךָ כ] (וּמִדְּבָרְךָ ק) פָּחַד לִבִּי׃

162 שָׂשׂ אָנֹכִי עַל־אִמְרָתֶךָ כְּמוֹצֵא שָׁלָל רָב׃

163 שֶׁקֶר שָׂנֵאתִי וַאֲתַעֵבָה תּוֹרָתְךָ אָהָבְתִּי׃

164 שֶׁבַע בַּיּוֹם הִלַּלְתִּיךָ עַל מִשְׁפְּטֵי צִדְקֶךָ׃

165 שָׁלוֹם רָב לְאֹהֲבֵי תוֹרָתֶךָ וְאֵין־לָמוֹ מִכְשׁוֹל׃

166 שִׂבַּרְתִּי לִישׁוּעָתְךָ יְהוָה וּמִצְוֺתֶיךָ עָשִׂיתִי׃

167 שָׁמְרָה נַפְשִׁי עֵדֹתֶיךָ וָאֹהֲבֵם מְאֹד׃

168 שָׁמַרְתִּי פִקּוּדֶיךָ וְעֵדֹתֶיךָ כִּי כָל־דְּרָכַי נֶגְדֶּךָ׃

맛싸성경

161 고관들이 이유 없이 나를 박해하나 내 마음은 주의 말씀으로 떠나이다(두려워하나이다). **162** 나는 주의 말씀을 기뻐하나니 많은 노획물을 얻은 것과 같나이다. **163** 내가 거짓을 미워하고 역겨워하나 나는 주의 율법을 사랑하나이다. **164** 하루에 일곱 번이나 내가 주를 찬양하나니 주의 의의 판단을 인하여 그리하나이다. **165** 주의 율법을 사랑하는 자에게 많은 평안이 있고 그들은 넘어지는 경우가 없나이다. **166** 여호와시여! 내가 주의 구원을 소망하고 내가 주의 명령들을 행하였나이다. **167** 내 영혼이 주의 증거들을 지키나이다. 그것들을 대단히 사랑하나이다. **168** 내가 주의 교훈들과 주의 증거들을 지켰나이다. 이는 내 모든 길이 주 앞에 있음이니이다.

NET

161 ש (Sin/Shin) Rulers pursue me for no reason, yet I am more afraid of disobeying your instructions. **162** I rejoice in your instructions, like one who finds much plunder. **163** I hate and despise deceit; I love your law. **164** Seven times a day I praise you because of your just regulations. **165** Those who love your law are completely secure; nothing causes them to stumble. **166** I hope for your deliverance, O Lord, and I obey your commands. **167** I keep your rules; I love them greatly. **168** I keep your precepts and rules, for you are aware of everything I do.

169 תִּקְרַב רִנָּתִי לְפָנֶיךָ יְהוָה כִּדְבָרְךָ הֲבִינֵנִי׃

170 תָּבוֹא תְּחִנָּתִי לְפָנֶיךָ כְּאִמְרָתְךָ הַצִּילֵנִי׃

171 תַּבַּעְנָה שְׂפָתַי תְּהִלָּה כִּי תְלַמְּדֵנִי חֻקֶּיךָ׃

172 תַּעַן לְשׁוֹנִי אִמְרָתֶךָ כִּי כָל־מִצְוֺתֶיךָ צֶּדֶק׃

173 תְּהִי־יָדְךָ לְעָזְרֵנִי כִּי פִקּוּדֶיךָ בָחָרְתִּי׃

174 תָּאַבְתִּי לִישׁוּעָתְךָ יְהוָה וְתוֹרָתְךָ שַׁעֲשֻׁעָי׃

175 תְּחִי־נַפְשִׁי וּתְהַלְלֶךָּ וּמִשְׁפָּטֶךָ יַעְזְרֻנִי׃

176 תָּעִיתִי כְּשֶׂה אֹבֵד בַּקֵּשׁ עַבְדֶּךָ כִּי מִצְוֺתֶיךָ לֹא שָׁכָחְתִּי׃

맛싸성경

169 여호와시여! 내 부르짖음이 주 앞으로 가까이 가게 하시고 주의 말씀을 따라 내게 이해력을 주소서. 170 내 간구가 주 앞에 가게 하시고 주의 말씀을 따라 나를 구출하소서. 171 내 입술이 찬양으로 솟구치게 하나니 이는 (주께서) 주의 규례로 나를 가르치심이니이다. 172 내 혀가 주의 말씀을 노래하리니 이는 모든 주의 명령들은 의롭기 때문이니이다. 173 주의 손이 나를 돕기 위하여 있게 하소서. 이는 주의 교훈들을 내가 선택하였음이니이다. 174 여호와시여! 내가 주의 구원을 사모하나니 주의 율법은 내 기쁨이니이다. 175 내 영혼을 살리셔서 주를 찬양하게 하소서. 주의 판단(들)로 나를 도우소서. 176 내가 길 잃은 양같이 헤매오니 주의 종을 찾으소서. 이는 내가 주의 명령들을 잊지 아니함이니이다.

NET

169 ת (Tav) Listen to my cry for help, O Lord. Give me insight by your word. 170 Listen to my appeal for mercy. Deliver me, as you promised. 171 May praise flow freely from my lips, for you teach me your statutes. 172 May my tongue sing about your instructions, for all your commands are just. 173 May your hand help me, for I choose to obey your precepts. 174 I long for your deliverance, O Lord; I find delight in your law. 175 May I live and praise you. May your regulations help me. 176 I have wandered off like a lost sheep. Come looking for your servant, for I do not forget your commands.

120 WLC

1 שִׁיר הַֽמַּעֲלוֹת אֶל־יְהוָה בַּצָּרָתָה לִּי קָרָאתִי וַֽיַּעֲנֵנִי׃

2 יְֽהוָה הַצִּילָה נַפְשִׁי מִשְּׂפַת־שֶׁקֶר מִלָּשׁוֹן רְמִיָּֽה׃

3 מַה־יִּתֵּן לְךָ וּמַה־יֹּסִיף לָךְ לָשׁוֹן רְמִיָּֽה׃

4 חִצֵּי גִבּוֹר שְׁנוּנִים עִם גַּחֲלֵי רְתָמִֽים׃

5 אֽוֹיָה־לִי כִּי־גַרְתִּי מֶשֶׁךְ שָׁכַנְתִּי עִם־אָהֳלֵי קֵדָֽר׃

6 רַבַּת שָֽׁכְנָה־לָּהּ נַפְשִׁי עִם שׂוֹנֵא שָׁלֽוֹם׃

7 אֲֽנִי־שָׁלוֹם וְכִי אֲדַבֵּר הֵמָּה לַמִּלְחָמָֽה׃

맛싸성경

1 [(성전에) 올라가는 노래] 내가 나의 고통에서 여호와께 부르짖었더니 주께서 내게 응답하셨나이다. 2 여호와시여! 내 영혼을 거짓된 입술과 속이는 혀에서부터 구출하소서. 3 속이는 혀여, 무엇을 네게 줄 것이며 무엇을 네게 더할 것인가? 4 용사의 날카로운 화살들과 로뎀 나무의 숯불들이로다. 5 내게 화로다. 이는 내가 메섹에서 거주하였고 게달의 장막에 살았음이로다. 6 내 영혼이 오랫동안 그곳에 살았으니 화평을 미워하는 자들과 함께로다. 7 나는 화평을 (원하나) 내가 말할 때 그들은 전쟁을 하려 하는도다.

NET

1 A song of ascents. In my distress I cried out to the Lord and he answered me. 2 I said, "O Lord, rescue me from those who lie with their lips and those who deceive with their tongues." 3 How will he severely punish you, you deceptive talker? 4 Here's how! With the sharp arrows of warriors, with arrowheads forged over the hot coals. 5 How miserable I am. For I have lived temporarily in Meshech; I have resided among the tents of Kedar. 6 For too long I have had to reside with those who hate peace. 7 I am committed to peace, but when I speak, they want to make war.

121 WLC

1 שִׁיר לַֽמַּעֲלוֹת אֶשָּׂא עֵינַי אֶל־הֶהָרִים מֵאַיִן יָבֹא עֶזְרִי׃

2 עֶזְרִי מֵעִם יְהוָה עֹשֵׂה שָׁמַיִם וָאָרֶץ׃

3 אַל־יִתֵּן לַמּוֹט רַגְלֶךָ אַל־יָנוּם שֹׁמְרֶךָ׃

4 הִנֵּה לֹא־יָנוּם וְלֹא יִישָׁן שׁוֹמֵר יִשְׂרָאֵל׃

5 יְהוָה שֹׁמְרֶךָ יְהוָה צִלְּךָ עַל־יַד יְמִינֶךָ׃

6 יוֹמָם הַשֶּׁמֶשׁ לֹא־יַכֶּכָּה וְיָרֵחַ בַּלָּיְלָה׃

7 יְהוָה יִשְׁמָרְךָ מִכָּל־רָע יִשְׁמֹר אֶת־נַפְשֶׁךָ׃

8 יְהוָה יִשְׁמָר־צֵאתְךָ וּבוֹאֶךָ מֵעַתָּה וְעַד־עוֹלָם׃

맛싸성경

1 [(성전에) 올라가는 노래] 내가 산(들)을 향하여 내 눈(들)을 들 것이라. 어디서부터 나의 도움이 올 것인가? 2 나의 도움은 여호와께로부터이며 그분은 하늘과 땅을 만드신 분이시로다. 3 그분은 네 발을 흔들리도록 (내) 주지 않으시며 너를 지키시는 분은 졸지도 아니하실 것이라. 4 보아라, 그분은 졸지도 않으시며 이스라엘을 지키시는 분은 주무시지도 않으시도다. 5 여호와는 너를 지키시는 분이시며 여호와는 네 오른쪽에서 네 보호(자)이시도다. 6 낮에 태양이 너를 치지 않으며 밤에 달도 (치지 않는도다). 7 여호와는 모든 재앙에서(부터) 너를 지키시는 분이시니 너의 생명을 지키실 것이라. 8 여호와는 너의 나감과 너의 들어옴을 지키실 것이니 지금부터 영원까지로다.

NET

1 A song of ascents. I look up toward the hills. From where does my help come? 2 My help comes from the Lord, the Creator of heaven and earth. 3 May he not allow your foot to slip. May your Protector not sleep. 4 Look! Israel's Protector does not sleep or slumber. 5 The Lord is your protector; the Lord is the shade at your right hand. 6 The sun will not harm you by day, or the moon by night. 7 The Lord will protect you from all harm; he will protect your life. 8 The Lord will protect you in all you do, now and forevermore.

122 WLC

1 שִׁיר הַמַּעֲלוֹת לְדָוִד שָׂמַחְתִּי בְּאֹמְרִים לִי בֵּית יְהוָה נֵלֵךְ׃

2 עֹמְדוֹת הָיוּ רַגְלֵינוּ בִּשְׁעָרַיִךְ יְרוּשָׁלָם׃

3 יְרוּשָׁלַם הַבְּנוּיָה כְּעִיר שֶׁחֻבְּרָה־לָּהּ יַחְדָּו׃

4 שֶׁשָּׁם עָלוּ שְׁבָטִים שִׁבְטֵי־יָהּ עֵדוּת לְיִשְׂרָאֵל לְהֹדוֹת לְשֵׁם יְהוָה׃

5 כִּי שָׁמָּה ׀ יָשְׁבוּ כִסְאוֹת לְמִשְׁפָּט כִּסְאוֹת לְבֵית דָּוִד׃

6 שַׁאֲלוּ שְׁלוֹם יְרוּשָׁלָם יִשְׁלָיוּ אֹהֲבָיִךְ׃

7 יְהִי־שָׁלוֹם בְּחֵילֵךְ שַׁלְוָה בְּאַרְמְנוֹתָיִךְ׃

8 לְמַעַן אַחַי וְרֵעָי אֲדַבְּרָה־נָּא שָׁלוֹם בָּךְ׃

9 לְמַעַן בֵּית־יְהוָה אֱלֹהֵינוּ אֲבַקְשָׁה טוֹב לָךְ׃

맛싸성경

1 [다윗의 (성전에) 올라가는 노래] "우리가 여호와의
집에 (올라) 가자."고 그(사람)들이 내게 말할 때 나는
기뻐하였도다. 2 예루살렘이여, 우리의 발은 네 (성)
문들 안에 서 있을 것이라 3 예루살렘은 그것에 모두
잘 들어서 있는 도시같이 세워져 있고 4 그곳으로 지
파들 곧 여호와의 지파들이 이스라엘을 위한 증거를
따라 올라가니 여호와의 이름을 (감사) 찬양하기 위한
것이라. 5 이는 그곳에는 심판의 보좌(들)가 놓여 있
음이니 (곧) 다윗의 집의 보좌(들)이 있도다. 6 예루살
렘의 평안을 위하여 간구하라. "너를 사랑하는 자는
평온할 것이로다. 7 네 성벽 안에는 평안이 있을 것이
고 네 궁 안에는 평온함이 있을 것이로다." 8 내 형제
와 내 이웃을 위하여 내가 말할 것이니 "네게 평안이
있으라." 9 우리 하나님 여호와의 집을 위하여 내가 너
를 위해 좋은 것을 구할 것이로다.

NET

1 A song of ascents; by David. I was glad because
they said to me, "We will go to the Lord's temple." 2
Our feet are standing inside your gates, O Jerusalem.
3 Jerusalem is a city designed to accommodate an
assembly. 4 The tribes go up there, the tribes of the
Lord, where it is required that Israel give thanks to
the name of the Lord. 5 Indeed, the leaders sit there
on thrones and make legal decisions, on the thrones
of the house of David. 6 Pray for the peace of
Jerusalem. May those who love her prosper. 7 May
there be peace inside your defenses and prosperity
inside your fortresses. 8 For the sake of my brothers
and my neighbors I will say, "May there be peace in
you." 9 For the sake of the temple of the Lord our
God I will pray for you to prosper.

123 WLC

1 שִׁיר הַֽמַּעֲלוֹת אֵלֶיךָ נָשָׂאתִי אֶת־עֵינַי הַיֹּשְׁבִי בַּשָּׁמָיִם׃

2 הִנֵּה כְעֵינֵי עֲבָדִים אֶל־יַד אֲדוֹנֵיהֶם כְּעֵינֵי שִׁפְחָה אֶל־יַד גְּבִרְתָּהּ כֵּן
עֵינֵינוּ אֶל־יְהוָה אֱלֹהֵינוּ עַד שֶׁיְּחָנֵּנוּ׃

3 חָנֵּנוּ יְהוָה חָנֵּנוּ כִּי־רַב שָׂבַעְנוּ בוּז׃

4 רַבַּת שָׂבְעָה־לָּהּ נַפְשֵׁנוּ הַלַּעַג הַשַּׁאֲנַנִּים הַבּוּז לִגְאֵיוֹנִים׃

맛싸성경

1 [(성전에) 올라가는 노래] 내가 주께 내 눈을 드나이다. 하늘에 거하시는 주시여! 2 보소서, 종의 눈(들)이 그들의 주인들의 손을 보는 것같이 여종의 눈(들)이 그 여주인의 손을 보는 것같이 그렇게 우리의 눈이 우리 하나님 여호와를 (보오니) 그분이 우리에게 은혜를 베푸시는 때까지라. 3 우리에게 은혜를 베푸소서. 여호와시여! 우리에게 은혜를 베푸소서. 이는 우리는 많은 모욕을 당하였나이다. 4 자만하는 자의 조소와 거만한 자의 모욕을 우리 영혼이 많이 당하였나이다.

NET

1 A song of ascents. I look up toward you, the one enthroned in heaven. 2 Look, as the eyes of servants look to the hand of their master, as the eyes of a female servant look to the hand of her mistress, so our eyes will look to the Lord, our God, until he shows us favor. 3 Show us favor, O Lord, show us favor! For we have had our fill of humiliation, and then some. 4 We have had our fill of the taunts of the self-assured, of the contempt of the proud.

124 WLC

1 שִׁיר הַֽמַּעֲלוֹת לְדָוִד לוּלֵי יְהוָה שֶׁהָיָה לָנוּ יֹאמַר־נָא יִשְׂרָאֵל׃

2 לוּלֵי יְהוָה שֶׁהָיָה לָנוּ בְּקוּם עָלֵינוּ אָדָם׃

3 אֲזַי חַיִּים בְּלָעוּנוּ בַּחֲרוֹת אַפָּם בָּנוּ׃

4 אֲזַי הַמַּיִם שְׁטָפוּנוּ נַחְלָה עָבַר עַל־נַפְשֵׁנוּ׃

5 אֲזַי עָבַר עַל־נַפְשֵׁנוּ הַמַּיִם הַזֵּידוֹנִים׃

6 בָּרוּךְ יְהוָה שֶׁלֹּא נְתָנָנוּ טֶרֶף לְשִׁנֵּיהֶם׃

7 נַפְשֵׁנוּ כְּצִפּוֹר נִמְלְטָה מִפַּח יוֹקְשִׁים הַפַּח נִשְׁבָּר וַאֲנַחְנוּ נִמְלָטְנוּ׃

8 עֶזְרֵנוּ בְּשֵׁם יְהוָה עֹשֵׂה שָׁמַיִם וָאָרֶץ׃

맛싸성경

1 [다윗의 (성전에) 올라가는 노래] 이스라엘아 말하라. "만일 여호와께서 우리를 위해 계시지 않았다면 2 사람이 우리를 (대하여) 일어섰을 때 만일 여호와께서 우리를 위해 계시지 않았다면 3 그들의 분노가 우리를 대하여 타올랐을 때 그때 그들이 우리를 산 채로 삼켰고 4 그때 물들이 우리를 덮고 강이 우리 영혼 위로 지나갔을 것이며 5 그때 격렬한 물결이 우리 영혼 위로 지나갔을 것이로다." 6 여호와를 송축하라. 우리를 그들의 이빨에서 사냥감으로 두시지 않으셨도다. 7 우리 영혼이 사냥꾼의 올무에서부터 새가 빠져나가는 것과 같으며 올무가 부서졌으니 우리가 빠져나갔도다. 8 우리의 도움은 여호와의 이름에 있으니 (그분은) 하늘과 땅을 만드신 분이시로다.

NET

1 A song of ascents; by David. "If the Lord had not been on our side"— let Israel say this.— 2 if the Lord had not been on our side, when men attacked us, 3 they would have swallowed us alive, when their anger raged against us. 4 The water would have overpowered us; the current would have overwhelmed us. 5 The raging water would have overwhelmed us. 6 The Lord deserves praise, for he did not hand us over as prey to their teeth. 7 We escaped with our lives, like a bird from a hunter's snare. The snare broke, and we escaped. 8 Our deliverer is the Lord, the Creator of heaven and earth.

125 WLC

1 שִׁיר הַמַּעֲלוֹת הַבֹּטְחִים בַּיהוָה כְּהַר־צִיּוֹן לֹא־יִמּוֹט לְעוֹלָם יֵשֵׁב׃

2 יְרוּשָׁלִַם הָרִים סָבִיב לָהּ וַיהוָה סָבִיב לְעַמּוֹ מֵעַתָּה וְעַד־עוֹלָם׃

3 כִּי לֹא יָנוּחַ שֵׁבֶט הָרֶשַׁע עַל גּוֹרַל הַצַּדִּיקִים לְמַעַן לֹא־יִשְׁלְחוּ
הַצַּדִּיקִים בְּעַוְלָתָה יְדֵיהֶם׃

4 הֵיטִיבָה יְהוָה לַטּוֹבִים וְלִישָׁרִים בְּלִבּוֹתָם׃

5 וְהַמַּטִּים עֲקַלְקַלּוֹתָם יוֹלִיכֵם יְהוָה אֶת־פֹּעֲלֵי הָאָוֶן שָׁלוֹם עַל־יִשְׂרָאֵל׃

맛싸성경

1 [(성전에) 올라가는 노래] 여호와를 신뢰하는 자들은 마치 시온산과 같으니 흔들리지 않으며 영원히 거주할 것이라. 2 산(들)이 예루살렘을 둘러싸고 있듯이 여호와는 그의 백성을 둘러싸시니 지금부터 영원까지로다. 3 사악한 자의 지팡이가 의인들의 할당지(제비 뽑은 땅)에서 쉬지 못할 것이니 이는 의인들이 그들의 손을 악한 것에 대지 않게 하려 하심이로다. 4 여호와시여! 선한 자들에게 잘 대해 주소서. 그들의 마음이 올바른 자들에게도 (그리하소서). 5 그러나 그들의 구부러진 길로 치우친 자들을 여호와께서는 사악을 행하는 자들과 함께 가게 하시나이다. 이스라엘에게는 평안이 있을 것이로다.

NET

1 A song of ascents. Those who trust in the Lord are like Mount Zion, which cannot be moved and will endure forever. 2 As the mountains surround Jerusalem, so the Lord surrounds his people, now and forevermore. 3 Indeed, the scepter of a wicked king will not settle upon the allotted land of the godly. Otherwise the godly might do what is wrong. 4 Do good, O Lord, to those who are good, to the morally upright. 5 As for those who are bent on traveling a sinful path, may the Lord remove them, along with those who behave wickedly. May Israel experience peace.

126 WLC

1 שִׁיר הַֽמַּעֲלוֹת בְּשׁוּב יְהוָה אֶת־שִׁיבַת צִיּוֹן הָיִינוּ כְּחֹלְמִֽים:

2 אָז יִמָּלֵא שְׂחוֹק פִּינוּ וּלְשׁוֹנֵנוּ רִנָּה אָז יֹאמְרוּ בַגּוֹיִם הִגְדִּיל יְהוָה
לַעֲשׂוֹת עִם־אֵֽלֶּה:

3 הִגְדִּיל יְהוָה לַעֲשׂוֹת עִמָּנוּ הָיִינוּ שְׂמֵחִֽים:

4 שׁוּבָה יְהוָה אֶת־[שְׁבוּתֵנוּ כ] (שְׁבִיתֵנוּ ק) כַּאֲפִיקִים בַּנֶּֽגֶב:

5 הַזֹּרְעִים בְּדִמְעָה בְּרִנָּה יִקְצֹֽרוּ:

6 הָלוֹךְ יֵלֵךְ ׀ וּבָכֹה נֹשֵׂא מֶֽשֶׁךְ־הַזָּרַע בֹּֽא־יָבוֹא בְרִנָּה נֹשֵׂא אֲלֻמֹּתָֽיו:

맛싸성경

1 [(성전에) 올라가는 노래] 여호와께서 시온의 포로를 돌아오게 하실 때 우리는 꿈꾸는 자들 같았도다. 2 그때 우리의 입은 웃음으로 가득했고 우리 혀에는 (큰 소리로) 기뻐함이 있었도다. 그때 그들이 열방 중에서 말하기를 "여호와께서 그들에게 큰일을 하셨도다." 3 여호와께서 우리에게 큰일을 하셨으니 우리는 기쁘도다. 4 여호와시여! 우리를 포로에서 돌아오게 하소서. 네게브의 시내 같게 하소서. 5 눈물로 씨를 뿌리는 자인 그들은 (큰 소리의) 기뻐함으로 거둘 것이라. 6 울며 씨 자루를 메고 참으로 나가는 자는 (큰 소리의) 기뻐함으로 그의 (곡식)단을 메고 참으로 들어올 것이라.

NET

1 A song of ascents. When the Lord restored the well-being of Zion, we thought we were dreaming. 2 At that time we laughed loudly and shouted for joy. At that time the nations said, "The Lord has accomplished great things for these people." 3 The Lord did indeed accomplish great things for us. We were happy. 4 O Lord, restore our well-being, just as the streams in the arid south are replenished. 5 Those who shed tears as they plant will shout for joy when they reap the harvest. 6 The one who weeps as he walks along, carrying his bag of seed, will certainly come in with a shout of joy, carrying his sheaves of grain.

127 WLC

1 שִׁיר הַמַּעֲלוֹת לִשְׁלֹמֹה אִם־יְהוָה ׀ לֹא־יִבְנֶה בַיִת שָׁוְא ׀ עָמְלוּ בוֹנָיו
בּוֹ אִם־יְהוָה לֹא־יִשְׁמָר־עִיר שָׁוְא ׀ שָׁקַד שׁוֹמֵר׃
2 שָׁוְא לָכֶם ׀ מַשְׁכִּימֵי קוּם מְאַחֲרֵי־שֶׁבֶת אֹכְלֵי לֶחֶם הָעֲצָבִים כֵּן יִתֵּן
לִידִידוֹ שֵׁנָא׃
3 הִנֵּה נַחֲלַת יְהוָה בָּנִים שָׂכָר פְּרִי הַבָּטֶן׃
4 כְּחִצִּים בְּיַד־גִּבּוֹר כֵּן בְּנֵי הַנְּעוּרִים׃
5 אַשְׁרֵי הַגֶּבֶר אֲשֶׁר מִלֵּא אֶת־אַשְׁפָּתוֹ מֵהֶם לֹא־יֵבֹשׁוּ כִּי־יְדַבְּרוּ
אֶת־אוֹיְבִים בַּשָּׁעַר׃

맛싸성경

1 [솔로몬의 (성전에) 올라가는 노래] 여호와께서 집을 짓지 아니하신다면 그 집을 짓는 자들의 수고가 헛되도다. 여호와께서 도시를 지키지 않으신다면 지키는 자가 지켜보는 것도 헛되도다. 2 너희가 일찍 일어나고 늦게 거하며(휴식하며) 고생의 빵을 먹는 것도 헛되도다. 그러므로 그분이 그분의 사랑하시는 자에게 잠(자는 동안에도) (은혜를) 주시는도다. 3 보아라, 자녀들은 여호와의 유업이고 태의 열매의 보상이로다. 4 용사의 손의 화살과 같은 것은 젊은이의 자녀들이로다. 5 복 있는 사람은 그의 화살통에 그것(화살)들을 가득 채우니 그는 성문에서 원수들과 말할 때 부끄러움을 당하지 아니하리라.

NET

1 A song of ascents; by Solomon. If the Lord does not build a house, then those who build it work in vain. If the Lord does not guard a city, then the watchman stands guard in vain. 2 It is vain for you to rise early, come home late, and work so hard for your food. Yes, he provides for those whom he loves even when they sleep. 3 Yes, sons are a gift from the Lord; the fruit of the womb is a reward. 4 Sons born during one's youth are like arrows in a warrior's hand. 5 How blessed is the man who fills his quiver with them. They will not be put to shame when they confront enemies at the city gate.

128 WLC

1 שִׁיר הַמַּעֲלוֹת אַשְׁרֵי כָּל־יְרֵא יְהוָה הַהֹלֵךְ בִּדְרָכָיו׃

2 יְגִיעַ כַּפֶּיךָ כִּי תֹאכֵל אַשְׁרֶיךָ וְטוֹב לָךְ׃

3 אֶשְׁתְּךָ ׀ כְּגֶפֶן פֹּרִיָּה בְּיַרְכְּתֵי בֵיתֶךָ בָּנֶיךָ כִּשְׁתִלֵי זֵיתִים סָבִיב
לְשֻׁלְחָנֶךָ׃

4 הִנֵּה כִי־כֵן יְבֹרַךְ גָּבֶר יְרֵא יְהוָה׃

5 יְבָרֶכְךָ יְהוָה מִצִּיּוֹן וּרְאֵה בְּטוּב יְרוּשָׁלָםִ כֹּל יְמֵי חַיֶּיךָ׃

6 וּרְאֵה־בָנִים לְבָנֶיךָ שָׁלוֹם עַל־יִשְׂרָאֵל׃

맛싸성경

1 [(성전에) 올라가는 노래] 복 있는 자는 모두 여호와를 경외하며 그분의 길로 걷는 자로다. 2 너는 네 손으로 수고한 것으로 먹으며 너는 복되고 너는 잘 될 것이라. 3 네 아내는 네 집 안에 열매 맺는 포도나무 같고 네 자녀들은 네 식탁 주위에 올리브 나무의 가지 같도다. 4 보아라, 여호와를 경외하는 사람은 이같이 복을 받을 것이라 5 여호와는 시온에서부터 네게 복을 주시고 네가 사는 모든 날 동안 예루살렘의 행복을 너는 볼 것이며 6 네 자녀들의 자녀들을 너는 보게 될 것이라. 이스라엘에는 평안이 있을 것이로다.

NET

1 A song of ascents. How blessed is every one of the Lord's loyal followers, each one who keeps his commands. 2 You will eat what you worked so hard to grow. You will be blessed and secure. 3 Your wife will be like a fruitful vine in the inner rooms of your house; your children will be like olive branches, as they sit all around your table. 4 Yes indeed, the man who fears the Lord will be blessed in this way. 5 May the Lord bless you from Zion that you might see Jerusalem prosper all the days of your life 6 and that you might see your grandchildren. May Israel experience peace.

129 WLC

1 שִׁיר הַמַּעֲלוֹת רַבַּת צְרָרוּנִי מִנְּעוּרַי יֹאמַר־נָא יִשְׂרָאֵל׃

2 רַבַּת צְרָרוּנִי מִנְּעוּרָי גַּם לֹא־יָכְלוּ לִי׃

3 עַל־גַּבִּי חָרְשׁוּ חֹרְשִׁים הֶאֱרִיכוּ [לְמַעֲנוֹתָם כ] (לְמַעֲנִיתָם ק)׃

4 יְהוָה צַדִּיק קִצֵּץ עֲבוֹת רְשָׁעִים׃

5 יֵבֹשׁוּ וְיִסֹּגוּ אָחוֹר כֹּל שֹׂנְאֵי צִיּוֹן׃

6 יִהְיוּ כַּחֲצִיר גַּגּוֹת שֶׁקַּדְמַת שָׁלַף יָבֵשׁ׃

7 שֶׁלֹּא מִלֵּא כַפּוֹ קוֹצֵר וְחִצְנוֹ מְעַמֵּר׃

8 וְלֹא אָמְרוּ ׀ הָעֹבְרִים בִּרְכַּת־יְהוָה אֲלֵיכֶם בֵּרַכְנוּ אֶתְכֶם בְּשֵׁם

יְהוָה׃

맛싸성경

1 [(성전에) 올라가는 노래] "내 소년 시절부터 그들이 나를 많이 대적하였도다." 이스라엘은 이제 말하라. 2 "내 소년 시절부터 그들이 나를 많이 대적하였으나 그들이 나를 이기지 못하였도다. 3 쟁기를 잡은 자들이 내 뒤(등)를 갈았고 그들은 들고랑을 길게 하였도다." 4 여호와는 의로우시며 그분은 사악한 자들의 줄을 끊으셨도다. 5 시온을 미워하는 모든 자들로 창피를 당하고 뒤로 물러가게 하소서. 6 그들로 옥상의 풀같이 그것이 뽑히기도 전에 말라 버리게 하시며 7 추수하는 자도 그의 손에 채우지 못하고 곡식단을 묶는 자도 그의 가슴(품)에 (채우지 못할 것이니) 8 지나가는 자들도 "여호와의 복이 너희에게 있으며 우리가 너희를 여호와의 이름으로 축복하노라."라고 말하지 못할 것이라.

NET

1 A song of ascents. "Since my youth they have often attacked me," let Israel say. 2 "Since my youth they have often attacked me, but they have not defeated me. 3 The plowers plowed my back; they made their furrows long. 4 The Lord is just; he cut the ropes of the wicked." 5 May all who hate Zion be humiliated and turned back. 6 May they be like the grass on the rooftops, which withers before one can even pull it up, 7 which cannot fill the reaper's hand or the lap of the one who gathers the grain. 8 Those who pass by will not say, "May you experience the Lord's blessing! We pronounce a blessing on you in the name of the Lord."

130 WLC

1 שִׁיר הַמַּעֲלוֹת מִמַּעֲמַקִּים קְרָאתִיךָ יְהוָה:

2 אֲדֹנָי שִׁמְעָה בְקוֹלִי תִּהְיֶינָה אָזְנֶיךָ קַשֻּׁבוֹת לְקוֹל תַּחֲנוּנָי:

3 אִם־עֲוֹנוֹת תִּשְׁמָר־יָהּ אֲדֹנָי מִי יַעֲמֹד:

4 כִּי־עִמְּךָ הַסְּלִיחָה לְמַעַן תִּוָּרֵא:

5 קִוִּיתִי יְהוָה קִוְּתָה נַפְשִׁי וְלִדְבָרוֹ הוֹחָלְתִּי:

6 נַפְשִׁי לַאדֹנָי מִשֹּׁמְרִים לַבֹּקֶר שֹׁמְרִים לַבֹּקֶר:

7 יַחֵל יִשְׂרָאֵל אֶל־יְהוָה כִּי־עִם־יְהוָה הַחֶסֶד וְהַרְבֵּה עִמּוֹ פְדוּת:

8 וְהוּא יִפְדֶּה אֶת־יִשְׂרָאֵל מִכֹּל עֲוֹנֹתָיו:

맛싸성경

1 [(성전에) 올라가는 노래] 여호와시여! 깊은 곳에서 내가 주께 부르짖나이다. 2 주님이시여! 내 목소리를 들으시고 주의 귀를 나의 (은혜) 간구의 목소리에 기울여 주옵소서. 3 여호와시여! 만일 주께서 죄책을 지켜보신다면 주님이시여! 누가 설 수 있겠나이까? 4 그러나 주께만 용서함이 있으니 그러므로 주만 경외할 것이나이다. 5 내가 여호와를 기다리고 내 영혼이 기다렸나이다. 그분의 말씀에 내가 소망하나니 6 파수꾼이 아침을 (기다림)보다 내 영혼이 주님을 더 (기다리니이다). (참으로) 파수꾼이 아침을 (기다림)보다 (더하나이다). 7 이스라엘아, 여호와를 소망하라. 이는 여호와와 함께 인애함이 있고 그분과 함께 풍성한 속량이 있기 때문이로다. 8 그분께서 이스라엘을 그 모든 죄책에서 속전하실 것이라.

NET

1 A song of ascents. From the deep water I cry out to you, O Lord. 2 O Lord, listen to me. Pay attention to my plea for mercy. 3 If you, O Lord, were to keep track of sins, O Lord, who could stand before you? 4 But you are willing to forgive so that you might be honored. 5 I rely on the Lord. I rely on him with my whole being; I wait for his assuring word. 6 I yearn for the Lord, more than watchmen do for the morning, yes, more than watchmen do for the morning. 7 O Israel, hope in the Lord, for the Lord exhibits loyal love and is more than willing to deliver. 8 He will deliver Israel from all their sins.

131 WLC

1 שִׁיר הַמַּעֲלוֹת לְדָוִד יְהוָה ׀ לֹא־גָבַהּ לִבִּי וְלֹא־רָמוּ עֵינַי וְלֹא־הִלַּכְתִּי
׀ בִּגְדֹלוֹת וּבְנִפְלָאוֹת מִמֶּנִּי׃
2 אִם־לֹא שִׁוִּיתִי ׀ וְדוֹמַמְתִּי נַפְשִׁי כְּגָמֻל עֲלֵי אִמּוֹ כַּגָּמֻל עָלַי נַפְשִׁי׃
3 יַחֵל יִשְׂרָאֵל אֶל־יְהוָה מֵעַתָּה וְעַד־עוֹלָם׃

맛싸성경

1 [다윗의 (성전에) 올라가는 노래] 여호와시여! 내 마음이 교만하지 않으며 내 눈을 높이 두지 않나이다. 내가 큰일이나 내게 놀라운 일들을 내게서부터 행하지 않나이다. 2 참으로 내가 내 영혼을 진정하고 잠잠히 있으니 그 어머니에서 내가 젖 뗀 것 같으며 내 영혼이 젖 뗀 것과 같나이다. 3 이스라엘아, 지금부터 영원까지 여호와를 소망하라.

NET

1 A song of ascents, by David. O Lord, my heart is not proud, nor do I have a haughty look. I do not have great aspirations, or concern myself with things that are beyond me. 2 Indeed, I have calmed and quieted myself like a weaned child with its mother; I am content like a young child. 3 O Israel, hope in the Lord now and forevermore!

132 WLC

1 שִׁיר הַמַּעֲלוֹת זְכוֹר־יְהוָה לְדָוִד אֵת כָּל־עֻנּוֹתוֹ׃

2 אֲשֶׁר נִשְׁבַּע לַיהוָה נָדַר לַאֲבִיר יַעֲקֹב׃

3 אִם־אָבֹא בְּאֹהֶל בֵּיתִי אִם־אֶעֱלֶה עַל־עֶרֶשׂ יְצוּעָי׃

4 אִם־אֶתֵּן שְׁנַת לְעֵינָי לְעַפְעַפַּי תְּנוּמָה׃

5 עַד־אֶמְצָא מָקוֹם לַיהוָה מִשְׁכָּנוֹת לַאֲבִיר יַעֲקֹב׃

6 הִנֵּה־שְׁמַעֲנוּהָ בְאֶפְרָתָה מְצָאנוּהָ בִּשְׂדֵי־יָעַר׃

7 נָבוֹאָה לְמִשְׁכְּנוֹתָיו נִשְׁתַּחֲוֶה לַהֲדֹם רַגְלָיו׃

8 קוּמָה יְהוָה לִמְנוּחָתֶךָ אַתָּה וַאֲרוֹן עֻזֶּךָ׃

9 כֹּהֲנֶיךָ יִלְבְּשׁוּ־צֶדֶק וַחֲסִידֶיךָ יְרַנֵּנוּ׃

맛싸성경

1 [올라가는 노래] 여호와시여! 다윗을 위하여 그의 모든 곤욕을 기억하소서. **2** 그가 어떻게 여호와께 맹세하였고 야곱의 전능자에게 서원하였는지 (기억하소서). **3** "참으로 나는 내 집에 들어가지 아니하고 (참으로) 내 침상에 오르지 아니하며 **4** (참으로) 내 눈으로 잠들게 아니하고 내 눈꺼풀(들)에 졸음도 허락하지 아니하겠으니 **5** 여호와의 처소 곧 야곱의 전능자의 성막을 발견하기까지 그렇게 하겠나이다." 하였나이다. **6** 보아라, 에브라다에서 우리가 그것을 듣고 야알의 들판에서 그것을 찾았도다. **7** 그분의 거처에 우리가 들어가 그분의 발 앞에 우리가 경배하자. **8** 여호와시여! 일어나소서. 주는 주의 권능의 궤와 함께 주의 안식처로 (들어가소서). **9** 주의 성직자들은 의로 옷 입게 해 주시고 주의 신실한 자(성도)들은 (큰 소리로) 노래하게 하소서.

NET

1 A song of ascents. O Lord, for David's sake remember all his strenuous effort **2** and how he made a vow to the Lord, and swore an oath to the Powerful One of Jacob. **3** He said, "I will not enter my own home, or get into my bed. **4** I will not allow my eyes to sleep or my eyelids to slumber, **5** until I find a place for the Lord, a fine dwelling place for the Powerful One of Jacob." **6** Look, we heard about it in Ephrathah; we found it in the territory of Jaar. **7** Let us go to his dwelling place. Let us worship before his footstool. **8** Ascend, O Lord, to your resting place, you and the ark of your strength. **9** May your priests be clothed with integrity. May your loyal followers shout for joy.

132 WLC

10 בַּעֲבוּר דָּוִד עַבְדֶּךָ אַל־תָּשֵׁב פְּנֵי מְשִׁיחֶךָ׃

11 נִשְׁבַּע־יְהוָה ׀ לְדָוִד אֱמֶת לֹא־יָשׁוּב מִמֶּנָּה מִפְּרִי בִטְנְךָ אָשִׁית לְכִסֵּא־לָךְ׃

12 אִם־יִשְׁמְרוּ בָנֶיךָ ׀ בְּרִיתִי וְעֵדֹתִי זוֹ אֲלַמְּדֵם גַּם־בְּנֵיהֶם עֲדֵי־עַד יֵשְׁבוּ לְכִסֵּא־לָךְ׃

13 כִּי־בָחַר יְהוָה בְּצִיּוֹן אִוָּהּ לְמוֹשָׁב לוֹ׃

14 זֹאת־מְנוּחָתִי עֲדֵי־עַד פֹּה־אֵשֵׁב כִּי אִוִּתִיהָ׃

15 צֵידָהּ בָּרֵךְ אֲבָרֵךְ אֶבְיוֹנֶיהָ אַשְׂבִּיעַ לָחֶם׃

16 וְכֹהֲנֶיהָ אַלְבִּישׁ יֶשַׁע וַחֲסִידֶיהָ רַנֵּן יְרַנֵּנוּ׃

17 שָׁם אַצְמִיחַ קֶרֶן לְדָוִד עָרַכְתִּי נֵר לִמְשִׁיחִי׃

18 אוֹיְבָיו אַלְבִּישׁ בֹּשֶׁת וְעָלָיו יָצִיץ נִזְרוֹ׃

맛싸성경

10 주의 종 다윗을 위하여 주의 기름 부음 받은 자의 얼굴을 물리치지 마소서. 11 여호와께서 다윗에게 진리로(확실하게) 맹세하셨으니 그것에서 돌이키지 아니하실 것이다. "내가 네 배의 열매(후손)에서부터 내가 네 보좌를 둘 것이니 12 만일 네 자손이 내 언약과 내가 가르치는 증거들을 지키면 그들의 자손도 대대로 네 보좌에 앉을 것이다." 하셨도다. 13 이는 여호와께서 시온을 택하시고 그곳을 자신을 위한 거처로 원하셨음이라. 14 "이곳은 나의 영원한 안식처이다. 내가 그것을 원하니 여기서 내가 거할 것이다. 15 내가 그 양식에 참으로 복을 주어 가난한 자를 빵으로 배부르게 할 것이다. 16 내가 그 성직자들을 구원으로 옷 입힐 것이니 그 신실한 자(성도)들은 (큰 소리로) 노래하게 할 것이다. 17 그곳에서 내가 다윗을 위하여 한 뿔이 자라게 하고 내 기름 부음 받은 자를 위하여 한 등불을 차릴 것이다. 18 내가 그의 원수들을 수치로 옷 입힐 것이나 그의 머리에는 (면류)관이 빛날 것이다."

NET

10 For the sake of David, your servant, do not reject your chosen king. 11 The Lord made a reliable promise to David; he will not go back on his word. He said, "I will place one of your descendants on your throne. 12 If your sons keep my covenant and the rules I teach them, their sons will also sit on your throne forever." 13 Certainly the Lord has chosen Zion; he decided to make it his home. 14 He said, "This will be my resting place forever; I will live here, for I have chosen it. 15 I will abundantly supply what she needs; I will give her poor all the food they need. 16 I will protect her priests, and her godly people will shout exuberantly. 17 There I will make David strong; I have determined that my chosen king's dynasty will continue. 18 I will humiliate his enemies, and his crown will shine."

133 WLC

1 שִׁיר הַמַּעֲלוֹת לְדָוִד הִנֵּה מַה־טּוֹב וּמַה־נָּעִים שֶׁבֶת אַחִים גַּם־יָחַד׃

2 כַּשֶּׁמֶן הַטּוֹב ׀ עַל־הָרֹאשׁ יֹרֵד עַל־הַזָּקָן זְקַן־אַהֲרֹן שֶׁיֹּרֵד עַל־פִּי מִדּוֹתָיו׃

3 כְּטַל־חֶרְמוֹן שֶׁיֹּרֵד עַל־הַרְרֵי צִיּוֹן כִּי שָׁם ׀ צִוָּה יְהוָה אֶת־הַבְּרָכָה חַיִּים

עַד־הָעוֹלָם׃

맛싸성경

1 [다윗의 (성전에) 올라가는 노래] 보아라, 얼마나 좋고 얼마나 기쁜가? 형제들이 함께 거함이여. 2 (이것은) 머리 위에 있는 좋은 기름이 수염 곧 아론의 수염 위에 내리고 그의 옷깃 위에 내리는 것과 (같도다). 3 (이것은) 헤르몬의 이슬이 시온산들 위에 내리는 것과 같도다. 이는 여호와께서 거기서 복을 명령하셨으니 영원한 생명이로다.

NET

1 A song of ascents; by David. Look! How good and how pleasant it is when brothers truly live in unity. 2 It is like fine oil poured on the head, which flows down the beard— Aaron's beard, and then flows down his garments. 3 It is like the dew of Hermon, which flows down upon the hills of Zion. Indeed, that is where the Lord has decreed a blessing will be available—eternal life.

134 WLC

1 שִׁיר הַמַּעֲלוֹת הִנֵּה ׀ בָּרְכוּ אֶת־יְהוָה כָּל־עַבְדֵי יְהוָה הָעֹמְדִים

בְּבֵית־יְהוָה בַּלֵּילוֹת׃

2 שְׂאוּ־יְדֵכֶם קֹדֶשׁ וּבָרְכוּ אֶת־יְהוָה׃

3 יְבָרֶכְךָ יְהוָה מִצִּיּוֹן עֹשֵׂה שָׁמַיִם וָאָרֶץ׃

맛싸성경

1 [(성전에) 올라가는 노래] 보아라, 여호와의 모든 종들아, 여호와를 송축하라. 밤에 여호와의 집에서 서 있는 자들이여. 2 너희 손들을 성전으로(성소를 향하여) 들고 여호와를 송축하라. 3 하늘과 땅을 만드신 여호와께서 시온에서부터 네게 복 주시기를 원하노라.

NET

1 A song of ascents. Attention! Praise the Lord, all you servants of the Lord who serve in the Lord's temple during the night. 2 Lift your hands toward the sanctuary and praise the Lord. 3 May the Lord, the Creator of heaven and earth, bless you from Zion.

135 WLC·

1 הַלְלוּ יָהּ ׀ הַלְלוּ אֶת־שֵׁם יְהוָה הַלְלוּ עַבְדֵי יְהוָה׃

2 שֶׁעֹמְדִים בְּבֵית יְהוָה בְּחַצְרוֹת בֵּית אֱלֹהֵינוּ׃

3 הַלְלוּ־יָהּ כִּי־טוֹב יְהוָה זַמְּרוּ לִשְׁמוֹ כִּי נָעִים׃

4 כִּי־יַעֲקֹב בָּחַר לוֹ יָהּ יִשְׂרָאֵל לִסְגֻלָּתוֹ׃

5 כִּי אֲנִי יָדַעְתִּי כִּי־גָדוֹל יְהוָה וַאֲדֹנֵינוּ מִכָּל־אֱלֹהִים׃

6 כֹּל אֲשֶׁר־חָפֵץ יְהוָה עָשָׂה בַּשָּׁמַיִם וּבָאָרֶץ בַּיַּמִּים וְכָל־תְּהוֹמוֹת׃

7 מַעֲלֶה נְשִׂאִים מִקְצֵה הָאָרֶץ בְּרָקִים לַמָּטָר עָשָׂה מוֹצֵא־רוּחַ

מֵאוֹצְרוֹתָיו׃

맛싸성경

1 할렐루야(여호와를 찬양하라). 여호와의 이름을 찬양하여라. 여호와의 종들아, 그분을 찬양하여라. 2 여호와의 집 우리 하나님의 집 뜰에 서 있는 너희들아. 3 여호와를 찬양하여라. 이는 여호와는 선하심이라. 그분의 이름을 찬송하라. (이는 그분이) 좋으심이라. 4 이는 여호와께서 자기를 위하여 야곱 곧 이스라엘을 자기의 소유로 선택하셨기 때문이라. 5 이는 내가 아는 것은 여호와께서는 크시며(위대하시며) 우리 주는 모든 신들보다 (크신 것이라.) 6 여호와께서는 하늘과 땅에서 바다와 모든 깊은 곳에서 그분이 기뻐하시는 것을 다 행하셨도다(만드셨도다). 7 그분은 땅끝에서 안개구름을 올리시고 비를 위하여 천둥을 만드시며 자기 창고에서 바람을 내시도다.

NET

1 Praise the Lord. Praise the name of the Lord. Offer praise, you servants of the Lord, 2 who serve in the Lord's temple, in the courts of the temple of our God. 3 Praise the Lord, for the Lord is good. Sing praises to his name, for it is pleasant. 4 Indeed, the Lord has chosen Jacob for himself, Israel to be his special possession. 5 Yes, I know the Lord is great, and our Lord is superior to all gods. 6 He does whatever he pleases in heaven and on earth, in the seas and all the ocean depths. 7 He causes the clouds to arise from the end of the earth, makes lightning bolts accompany the rain, and brings the wind out of his storehouses.

8 שֶׁהִכָּה בְּכוֹרֵי מִצְרָיִם מֵאָדָם עַד־בְּהֵמָה׃

9 שָׁלַח ׀ אֹתוֹת וּמֹפְתִים בְּתוֹכֵכִי מִצְרָיִם בְּפַרְעֹה וּבְכָל־עֲבָדָיו׃

10 שֶׁהִכָּה גּוֹיִם רַבִּים וְהָרַג מְלָכִים עֲצוּמִים׃

11 לְסִיחוֹן ׀ מֶלֶךְ הָאֱמֹרִי וּלְעוֹג מֶלֶךְ הַבָּשָׁן וּלְכֹל מַמְלְכוֹת כְּנָעַן׃

12 וְנָתַן אַרְצָם נַחֲלָה נַחֲלָה לְיִשְׂרָאֵל עַמּוֹ׃

13 יְהוָה שִׁמְךָ לְעוֹלָם יְהוָה זִכְרְךָ לְדֹר־וָדֹר׃

14 כִּי־יָדִין יְהוָה עַמּוֹ וְעַל־עֲבָדָיו יִתְנֶחָם׃

맛싸성경

8 그분은 이집트의 처음 난 것들을 사람에서 짐승까지 다 치셨으며 **9** 이집트야, 너희 가운데 표적들과 놀라운 일들을 보내셨으니 파라오와 그의 모든 종들에게로다. **10** 그분은 많은 민족들을 치시고 강한 왕들을 죽이셨으니 **11** 아모리 왕 시혼과 바산 왕 옥과 가나안의 모든 나라들이라. **12** 그분이 그들의 땅을 유업으로 주셨으니 자기 백성 이스라엘을 위한 유업이라. **13** 여호와시여! 주의 이름이 영원하시나이다. 여호와시여! 주에 대한 기억이 대대에 이를 것이나이다. **14** 이는 여호와께서 자기 백성을 판단하시고 자기 종들을 몹시 안타까워하십이라(긍휼히 여기심이라).

NET

8 He struck down the firstborn of Egypt, including both men and animals. **9** He performed awesome deeds and acts of judgment in your midst, O Egypt, against Pharaoh and all his servants. **10** He defeated many nations, and killed mighty kings— **11** Sihon, king of the Amorites, and Og, king of Bashan, and all the kingdoms of Canaan. **12** He gave their land as an inheritance, as an inheritance to Israel his people. **13** O Lord, your name endures, your reputation, O Lord, lasts. **14** For the Lord vindicates his people and has compassion on his servants.

135 WLC

15 עֲצַבֵּי הַגּוֹיִם כֶּסֶף וְזָהָב מַעֲשֵׂה יְדֵי אָדָם׃

16 פֶּה־לָהֶם וְלֹא יְדַבֵּרוּ עֵינַיִם לָהֶם וְלֹא יִרְאוּ׃

17 אָזְנַיִם לָהֶם וְלֹא יַאֲזִינוּ אַף אֵין־יֶשׁ־רוּחַ בְּפִיהֶם׃

18 כְּמוֹהֶם יִהְיוּ עֹשֵׂיהֶם כֹּל אֲשֶׁר־בֹּטֵחַ בָּהֶם׃

19 בֵּית יִשְׂרָאֵל בָּרְכוּ אֶת־יְהוָה בֵּית אַהֲרֹן בָּרְכוּ אֶת־יְהוָה׃

20 בֵּית הַלֵּוִי בָּרְכוּ אֶת־יְהוָה יִרְאֵי יְהוָה בָּרְכוּ אֶת־יְהוָה׃

21 בָּרוּךְ יְהוָה ׀ מִצִּיּוֹן שֹׁכֵן יְרוּשָׁלִָם הַלְלוּ־יָהּ׃

맛싸성경

15 민족들의 우상들은 은과 금이고 사람의 손들로 만든 것이라. **16** 그것들은 입이 있으나 (그것들은) 말하지 못하고 눈이 있으나 (그것들은) 보지 못하도다. **17** 그것들은 귀들이 있으나 (그것들은) 듣지 못하고 그것들의 입에는 호흡도 있지 않으니 **18** 그것들을 만드는 자는 그것들 같이 될 것이며 그것을 신뢰하는 자는 모두 그렇게 될 것이라. **19** 이스라엘 집이여, 여호와를 송축하라. 아론의 집이여, 여호와를 송축하라. **20** 레위 집이여, 여호와를 송축하라. 여호와를 경외하는 너희여, 여호와를 송축하라. **21** 예루살렘에 거하시는 여호와께서는 시온에서부터 송축을 받으소서. 할렐루야 (여호와를 찬양하라).

NET

15 The nations' idols are made of silver and gold; they are man-made. **16** They have mouths, but cannot speak, eyes, but cannot see, **17** and ears, but cannot hear. Indeed, they cannot breathe. **18** Those who make them will end up like them, as will everyone who trusts in them. **19** O family of Israel, praise the Lord. O family of Aaron, praise the Lord. **20** O family of Levi, praise the Lord. You loyal followers of the Lord, praise the Lord. **21** The Lord deserves praise in Zion—he who dwells in Jerusalem. Praise the Lord.

136 WLC

1 הוֹדוּ לַיהוָה כִּי־טוֹב כִּי לְעוֹלָם חַסְדּוֹ׃

2 הוֹדוּ לֵאלֹהֵי הָאֱלֹהִים כִּי לְעוֹלָם חַסְדּוֹ׃

3 הוֹדוּ לַאֲדֹנֵי הָאֲדֹנִים כִּי לְעֹלָם חַסְדּוֹ׃

4 לְעֹשֵׂה נִפְלָאוֹת גְּדֹלוֹת לְבַדּוֹ כִּי לְעוֹלָם חַסְדּוֹ׃

5 לְעֹשֵׂה הַשָּׁמַיִם בִּתְבוּנָה כִּי לְעוֹלָם חַסְדּוֹ׃

6 לְרֹקַע הָאָרֶץ עַל־הַמָּיִם כִּי לְעוֹלָם חַסְדּוֹ׃

7 לְעֹשֵׂה אוֹרִים גְּדֹלִים כִּי לְעוֹלָם חַסְדּוֹ׃

8 אֶת־הַשֶּׁמֶשׁ לְמֶמְשֶׁלֶת בַּיּוֹם כִּי לְעוֹלָם חַסְדּוֹ׃

9 אֶת־הַיָּרֵחַ וְכוֹכָבִים לְמֶמְשְׁלוֹת בַּלָּיְלָה כִּי לְעוֹלָם חַסְדּוֹ׃

맛싸성경

1 여호와께 (감사함으로) 찬양하라. 이는 (그분은) 선하시며 이는 그분의 인애가 영원하심이라. 2 신들의 신이신 분께 (감사함으로) 찬양하라. 이는 그분의 인애가 영원하심이라. 3 주들의 주이신 분께 (감사함으로) 찬양하라. 이는 그분의 인애가 영원하심이라. 4 혼자서 큰 놀라운 일을 행하시는 분께 (그리하라). 이는 그분의 인애가 영원하심이라. 5 이해력으로 하늘을 만드신 분께 (그리하라). 이는 그분의 인애가 영원하심이라. 6 물 위에 땅을 펼치신 분께 (그리하라). 이는 그분의 인애가 영원하심이라. 7 큰 빛들을 만드신 분께 (그리하라). 이는 그분의 인애가 영원하심이라. 8 낮을 주관하는 태양을 만드신 분께 (그리하라). 이는 그분의 인애가 영원하심이라. 9 밤을 주관하는 달과 별을 만드신 분께 (그리하라). 이는 그분의 인애가 영원하심이라.

NET

1 Give thanks to the Lord, for he is good, for his loyal love endures. 2 Give thanks to the God of gods, for his loyal love endures. 3 Give thanks to the Lord of lords, for his loyal love endures. 4 To the one who performs magnificent, amazing deeds all by himself, for his loyal love endures. 5 To the one who used wisdom to make the heavens, for his loyal love endures. 6 To the one who spread out the earth over the water, for his loyal love endures. 7 To the one who made the great lights, for his loyal love endures, 8 the sun to rule by day, for his loyal love endures, 9 the moon and stars to rule by night, for his loyal love endures.

10 לְמַכֵּה מִצְרַיִם בִּבְכוֹרֵיהֶם כִּי לְעוֹלָם חַסְדּוֹ׃

11 וַיּוֹצֵא יִשְׂרָאֵל מִתּוֹכָם כִּי לְעוֹלָם חַסְדּוֹ׃

12 בְּיָד חֲזָקָה וּבִזְרוֹעַ נְטוּיָה כִּי לְעוֹלָם חַסְדּוֹ׃

13 לְגֹזֵר יַם־סוּף לִגְזָרִים כִּי לְעוֹלָם חַסְדּוֹ׃

14 וְהֶעֱבִיר יִשְׂרָאֵל בְּתוֹכוֹ כִּי לְעוֹלָם חַסְדּוֹ׃

15 וְנִעֵר פַּרְעֹה וְחֵילוֹ בְיַם־סוּף כִּי לְעוֹלָם חַסְדּוֹ׃

16 לְמוֹלִיךְ עַמּוֹ בַּמִּדְבָּר כִּי לְעוֹלָם חַסְדּוֹ׃

맛싸성경

10 이집트의 장자들을 치신 분께 (그리하라). 이는 그분의 인애가 영원하심이라. 11 그분은 이스라엘을 그들 가운데 이끌어내셨도다. 이는 그분의 인애가 영원하심이라. 12 강한 손과 편 팔로 (그들을) 이끌어내신 분께 (그리하라). 이는 그분의 인애가 영원하심이라. 13 홍해를 둘로 나누신 분께 (그리하라). 이는 그분의 인애가 영원하심이라. 14 그분은 그 가운데 이스라엘을 건너게 하셨도다. 이는 그분의 인애가 영원하심이라. 15 그러나 그분은 파라오와 그 군대를 홍해에 던지셨도다. 이는 그분의 인애가 영원하심이라. 16 광야에서 그 백성을 이끄신(인도하신) 분께 (그리하라). 이는 그분의 인애가 영원하심이라.

NET

10 To the one who struck down the firstborn of Egypt, for his loyal love endures, 11 and led Israel out from their midst, for his loyal love endures, 12 with a strong hand and an outstretched arm, for his loyal love endures. 13 To the one who divided the Red Sea in two, for his loyal love endures, 14 and led Israel through its midst, for his loyal love endures, 15 and tossed Pharaoh and his army into the Red Sea, for his loyal love endures. 16 To the one who led his people through the wilderness, for his loyal love endures.

17 לְמַכֵּה מְלָכִים גְּדֹלִים כִּי לְעוֹלָם חַסְדּוֹ׃

18 וַ֭יַּהֲרֹג מְלָכִים אַדִּירִים כִּי לְעוֹלָם חַסְדּוֹ׃

19 לְסִיחוֹן מֶלֶךְ הָאֱמֹרִי כִּי לְעוֹלָם חַסְדּוֹ׃

20 וּלְעוֹג מֶלֶךְ הַבָּשָׁן כִּי לְעוֹלָם חַסְדּוֹ׃

21 וְנָתַן אַרְצָם לְנַחֲלָה כִּי לְעוֹלָם חַסְדּוֹ׃

22 נַחֲלָה לְיִשְׂרָאֵל עַבְדּוֹ כִּי לְעוֹלָם חַסְדּוֹ׃

23 שֶׁבְּשִׁפְלֵנוּ זָכַר לָנוּ כִּי לְעוֹלָם חַסְדּוֹ׃

24 וַיִּפְרְקֵנוּ מִצָּרֵינוּ כִּי לְעוֹלָם חַסְדּוֹ׃

25 נֹתֵן לֶחֶם לְכָל־בָּשָׂר כִּי לְעוֹלָם חַסְדּוֹ׃

26 הוֹדוּ לְאֵל הַשָּׁמָיִם כִּי לְעוֹלָם חַסְדּוֹ׃

맛싸성경

17 위대한 왕들을 치신 분께 (그리하라). 이는 그분의
인애가 영원하심이라. 18 그분이 강력한 왕들을 죽이
셨도다. 이는 그분의 인애가 영원하심이라. 19 아모
리 왕 시혼을 (죽이신 분께 그리하라). 이는 그분의 인
애가 영원하심이라. 20 바산 왕 옥을 (죽이신 분께 그
리하라). 이는 그분의 인애가 영원하심이라. 21 그분
은 그들에게 땅을 유업으로 주셨도다. 이는 그분의 인
애가 영원하심이라. 22 그의 종 이스라엘을 위한 유
업이라. 이는 그분의 인애가 영원하심이라. 23 우리
의 비천할 때 그분이 우리를 기억하셨도다. 이는 그분
의 인애가 영원하심이라. 24 그분은 우리의 대적들에
게서 구출해 내셨도다. 이는 그분의 인애가 영원하심
이라. 25 모든 육체에게 양식을 주신 분께 (그리하라).
이는 그분의 인애가 영원하심이라. 26 하늘의 하나님
께 (감사함으로) 찬양하라. 이는 그분의 인애가 영원
하심이라.

NET

17 To the one who struck down great kings, for his
loyal love endures, 18 and killed powerful kings, for
his loyal love endures, 19 Sihon, king of the
Amorites, for his loyal love endures, 20 Og, king of
Bashan, for his loyal love endures, 21 and gave their
land as an inheritance, for his loyal love endures, 22
as an inheritance to Israel his servant, for his loyal
love endures. 23 To the one who remembered us
when we were down, for his loyal love endures, 24
and snatched us away from our enemies, for his
loyal love endures. 25 To the one who gives food to
all living things, for his loyal love endures. 26 Give
thanks to the God of heaven, for his loyal love
endures!

137 WLC

1 עַל נַהֲרוֹת ׀ בָּבֶל שָׁם יָשַׁבְנוּ גַּם־בָּכִינוּ בְּזָכְרֵנוּ אֶת־צִיּוֹן׃

2 עַל־עֲרָבִים בְּתוֹכָהּ תָּלִינוּ כִּנֹּרוֹתֵינוּ׃

3 כִּי שָׁם שְׁאֵלוּנוּ שׁוֹבֵינוּ דִּבְרֵי־שִׁיר וְתוֹלָלֵינוּ שִׂמְחָה שִׁירוּ לָנוּ מִשִּׁיר צִיּוֹן׃

4 אֵיךְ נָשִׁיר אֶת־שִׁיר־יְהוָה עַל אַדְמַת נֵכָר׃

5 אִם־אֶשְׁכָּחֵךְ יְרוּשָׁלָם תִּשְׁכַּח יְמִינִי׃

6 תִּדְבַּק־לְשׁוֹנִי ׀ לְחִכִּי אִם־לֹא אֶזְכְּרֵכִי אִם־לֹא אַעֲלֶה אֶת־יְרוּשָׁלַם עַל
רֹאשׁ שִׂמְחָתִי׃

7 זְכֹר יְהוָה ׀ לִבְנֵי אֱדוֹם אֵת יוֹם יְרוּשָׁלָם הָאֹמְרִים עָרוּ ׀ עָרוּ עַד הַיְסוֹד בָּהּ׃

8 בַּת־בָּבֶל הַשְּׁדוּדָה אַשְׁרֵי שֶׁיְשַׁלֶּם־לָךְ אֶת־גְּמוּלֵךְ שֶׁגָּמַלְתְּ לָנוּ׃

9 אַשְׁרֵי ׀ שֶׁיֹּאחֵז וְנִפֵּץ אֶת־עֹלָלַיִךְ אֶל־הַסָּלַע׃

맛싸성경

1 바벨론 강가 거기서 우리가 앉아 있었고 시온을 우리가 기억할 때 우리는 울었도다. 2 그 가운데 있는 버드나무(들)에 우리는 우리 킨노르(수금)를 매달아 놓았도다. 3 이는 우리를 포로로 잡아가던 자들이 거기서 노래 가사(노래)를 요구했고 우리를 고통스럽게 한 자들이 기뻐하며 "우리를 위해 시온의 노래 중에서 노래하라." 요구했기 때문이로다. 4 어떻게 우리가 여호와의 노래를 이방인의 땅에서 노래하랴? 5 예루살렘이여, 내가 너를 잊는다면 내 오른손이 (그 솜씨를) 잊는 것이며 6 내가 너를 기억하지 않거나 내가 예루살렘을 가장 기쁨의 우선으로 올리지 않는다면 내 혀가 내 입천장에 있을 것이라. 7 여호와시여! 기억하소서. 에돔의 자녀들이 예루살렘이 (무너지던) 날에 "드러나게 하라. 드러나게 하라. 그 기초까지 (드러나게 하라)."라고 그들이 말하였나이다. 8 황폐하게 될 바벨론의 딸이여, 복이 있는 자는 네가 우리에게 대한 대로 너에게 갚아주는 자로다. 9 복이 있는 자는 너의 어린 자들을 붙들고 바위에 던져버리는 자로다.

NET

1 By the rivers of Babylon we sit down and weep when we remember Zion. 2 On the poplars in her midst we hang our harps, 3 for there our captors ask us to compose songs; those who mock us demand that we be happy, saying: “Sing for us a song about Zion!” 4 How can we sing a song to the Lord in a foreign land? 5 If I forget you, O Jerusalem, may my right hand be crippled. 6 May my tongue stick to the roof of my mouth, if I do not remember you, and do not give Jerusalem priority over whatever gives me the most joy. 7 Remember, O Lord, what the Edomites did on the day Jerusalem fell. They said, “Tear it down, tear it down, right to its very foundation!” 8 O daughter Babylon, soon to be devastated, how blessed will be the one who repays you for what you dished out to us. 9 How blessed will be the one who grabs your babies and smashes them on a rock.

138 WLC

1 לְדָוִד ׀ אוֹדְךָ בְכָל־לִבִּי נֶגֶד אֱלֹהִים אֲזַמְּרֶךָּ׃

2 אֶשְׁתַּחֲוֶה אֶל־הֵיכַל קָדְשְׁךָ וְאוֹדֶה אֶת־שְׁמֶךָ עַל־חַסְדְּךָ וְעַל־אֲמִתֶּךָ
כִּי־הִגְדַּלְתָּ עַל־כָּל־שִׁמְךָ אִמְרָתֶךָ׃

3 בְּיוֹם קָרָאתִי וַתַּעֲנֵנִי תַּרְהִבֵנִי בְנַפְשִׁי עֹז׃

4 יוֹדוּךָ יְהוָה כָּל־מַלְכֵי־אָרֶץ כִּי שָׁמְעוּ אִמְרֵי־פִיךָ׃

5 וְיָשִׁירוּ בְּדַרְכֵי יְהוָה כִּי גָדוֹל כְּבוֹד יְהוָה׃

6 כִּי־רָם יְהוָה וְשָׁפָל יִרְאֶה וְגָבֹהַּ מִמֶּרְחָק יְיֵדָע׃

7 אִם־אֵלֵךְ ׀ בְּקֶרֶב צָרָה תְּחַיֵּנִי עַל אַף אֹיְבַי תִּשְׁלַח יָדֶךָ וְתוֹשִׁיעֵנִי יְמִינֶךָ׃

8 יְהוָה יִגְמֹר בַּעֲדִי יְהוָה חַסְדְּךָ לְעוֹלָם מַעֲשֵׂי יָדֶיךָ אַל־תֶּרֶף׃

맛싸성경

1 [다윗의 시] 나의 온 마음으로 주를 (감사로) 찬양하
나이다. 하나님 앞에서 내가 주를 찬송하나이다. **2** 내
가 주의 거룩한 성전을 향해 경배하며 주의 인애와 주
의 진리로 인하여 주의 이름을 (감사로) 찬양하오니
이는 주께서 주의 이름과 주의 말씀을 위대하게 하심
이나이다. **3** 그날에 내가 주께 부르짖었더니 주께서
내게 응답하셨고 나를 내 영혼에 힘으로 나로 담대하
게 하셨나이다. **4** 여호와시여! 온 땅의 왕들이 주를
(감사로) 찬양하리니 이는 그들이 주의 입술의 말씀을
들었음이니이다. **5** 그들이 여호와의 길을 노래할지니
이는 여호와의 영광이 크심이니이다. **6** 이는 여호와
는 높이 계셔도 낮은 자들을 보시고 그분은 멀리서도
교만한 자들을 아시기 때문이나이다. **7** 내가 고난 중
에 걸어 다닐지라도 나를 살아있게 하시고 대적들의
진노에 주의 손을 뻗치사 나를 주의 오른손으로 구원
하시나이다. **8** 여호와시여! 여호와는 주의 인애하심
이 영원하시오니 나를 위하여 (주의 뜻을) 이루시나이
다. 주의 손의 행하심을 놓지 마소서.

NET

1 By David. I will give you thanks with all my heart;
before the heavenly assembly I will sing praises to
you. **2** I will bow down toward your holy temple and
give thanks to your name, because of your loyal love
and faithfulness, for you have exalted your promise
above the entire sky. **3** When I cried out for help,
you answered me. You made me bold and
energized me. **4** Let all the kings of the earth give
thanks to you, O Lord, when they hear the words
you speak. **5** Let them sing about the Lord's deeds,
for the Lord's splendor is magnificent. **6** Though the
Lord is exalted, he looks after the lowly, and from
far away humbles the proud. **7** Even when I must
walk in the midst of danger, you revive me. You
oppose my angry enemies, and your right hand
delivers me. **8** The Lord avenges me. O Lord, your
loyal love endures. Do not abandon those whom
you have made.

139 WLC

1 לַמְנַצֵּחַ לְדָוִד מִזְמוֹר יְהוָה חֲקַרְתַּנִי וַתֵּדָע:

2 אַתָּה יָדַעְתָּ שִׁבְתִּי וְקוּמִי בַּנְתָּה לְרֵעִי מֵרָחוֹק:

3 אָרְחִי וְרִבְעִי זֵרִיתָ וְכָל־דְּרָכַי הִסְכַּנְתָּה:

4 כִּי אֵין מִלָּה בִּלְשׁוֹנִי הֵן יְהוָה יָדַעְתָּ כֻלָּהּ:

5 אָחוֹר וָקֶדֶם צַרְתָּנִי וַתָּשֶׁת עָלַי כַּפֶּכָה:

6 [פִּלְאִיָּה כ] (פְּלִיאָה ק) דַעַת מִמֶּנִּי נִשְׂגְּבָה לֹא־אוּכַל לָהּ:

7 אָנָה אֵלֵךְ מֵרוּחֶךָ וְאָנָה מִפָּנֶיךָ אֶבְרָח:

8 אִם־אֶסַּק שָׁמַיִם שָׁם אָתָּה וְאַצִּיעָה שְּׁאוֹל הִנֶּךָּ:

맛싸성경

1 [지휘자를 위한 다윗의 시편] 여호와시여! 주께서 나
를 살펴보시고 (나를) 아셨나이다. 2 주께서 나의 앉
음과 나의 일어섬을 아시나이다. 주께서는 멀리서도
내 의도(생각)를 이해하시나이다. 3 주께서 내 길과 나
의 눕는 것을 재어보시고 나의 모든 길을 잘 아시나이
다. 4 여호와시여! 보소서, 이는 내 혀에는 하나의 말
이 없어도 주께서 그 모든 것을 아시나이다. 5 주께서
앞과 뒤에서 나를 에워싸시고 주께서 내게 손을 얹으
셨나이다. 6 이런 지식은 내게 놀라우며 너무 높아서
내가 그것에 이르지 못하나이다. 7 내가 주의 신을 떠
나 어디로 갈 수 있으며 내가 주의 임재를 떠나 어디
로 도망갈 수 있겠나이까? 8 만일 내가 하늘로 올라간
다 해도 거기에 계시며 만일 내가 셰올에 잠자리를 깔
더라도 거기 계시나이다.

NET

1 For the music director, a psalm of David. O Lord,
you examine me and know me. 2 You know when I
sit down and when I get up; even from far away you
understand my motives. 3 You carefully observe me
when I travel or when I lie down to rest; you are
aware of everything I do. 4 Certainly my tongue
does not frame a word without you, O Lord, being
thoroughly aware of it. 5 You squeeze me in from
behind and in front; you place your hand on me. 6
Your knowledge is beyond my comprehension; it is
so far beyond me, I am unable to fathom it. 7 Where
can I go to escape your Spirit? Where can I flee to
escape your presence? 8 If I were to ascend to
heaven, you would be there. If I were to sprawl out
in Sheol, there you would be.

9 אֶשָּׂא כַנְפֵי־שָׁחַר אֶשְׁכְּנָה בְּאַחֲרִית יָם׃

10 גַּם־שָׁם יָדְךָ תַנְחֵנִי וְתֹאחֲזֵנִי יְמִינֶךָ׃

11 וָאֹמַר אַךְ־חֹשֶׁךְ יְשׁוּפֵנִי וְלַיְלָה אוֹר בַּעֲדֵנִי׃

12 גַּם־חֹשֶׁךְ לֹא־יַחְשִׁיךְ מִמֶּךָ וְלַיְלָה כַּיּוֹם יָאִיר כַּחֲשֵׁיכָה כָּאוֹרָה׃

13 כִּי־אַתָּה קָנִיתָ כִלְיֹתָי תְּסֻכֵּנִי בְּבֶטֶן אִמִּי׃

14 אוֹדְךָ עַל כִּי נוֹרָאוֹת נִפְלֵיתִי נִפְלָאִים מַעֲשֶׂיךָ וְנַפְשִׁי יֹדַעַת מְאֹד׃

15 לֹא־נִכְחַד עָצְמִי מִמֶּךָּ אֲשֶׁר־עֻשֵּׂיתִי בַסֵּתֶר רֻקַּמְתִּי בְּתַחְתִּיּוֹת אָרֶץ׃

16 גָּלְמִי ׀ רָאוּ עֵינֶיךָ וְעַל־סִפְרְךָ כֻּלָּם יִכָּתֵבוּ יָמִים יֻצָּרוּ
[וְלֹא כ] (וְלוֹ ק) אֶחָד בָּהֶם׃

맛싸성경

9 만일 내가 새벽 날개에 들려 바다 가장 먼 곳에 내
가 살게 될지라도 10 거기에서조차 주의 손이 나를 인
도하시며 주의 오른손이 나를 붙드시나이다. 11 만일
내가 말하기를 "참으로 어둠이 나를 붙들고(상하게 하
고) 나를 두른 빛은 밤이 되어라." (하더라도) 12 (주
께는) 어두움조차 어둡지 않고 밤도 낮같이 빛을 내니
(주께는) 어두움이 빛과 같나이다. 13 이는 주께서 나
의 내부를 창조하셨고 내 어머니의 태에서 나를 조직
(연결)하셨음이니이다. 14 내가 주를 찬양하리니 이
는 내가 두렵고도 놀랍게 지어졌고 놀라움이 주의 행
하심임을 내 영혼이 잘 알기 때문이니이다. 15 내가
은밀히 만들어졌을 때 내 뼈(골격)들이 주께로부터 숨
겨지지 않았나이다. 땅의 깊은 곳에서 내가 기묘하게
(복잡하게) 형성되었나이다. 16 주의 눈으로 내 태아
(형성되지 않는 물질)를 보셨고 주의 책에 나를 위해
지어지던 날들이 모두 다 기록되었으니 그때는 아무
것도 없었나이다.

NET

9 If I were to fly away on the wings of the dawn and
settle down on the other side of the sea, 10 even
there your hand would guide me, your right hand
would grab hold of me. 11 If I were to say, "Certainly
the darkness will cover me, and the light will turn to
night all around me," 12 even the darkness is not
too dark for you to see, and the night is as bright as
day; darkness and light are the same to you. 13
Certainly you made my mind and heart; you wove
me together in my mother's womb. 14 I will give
you thanks because your deeds are awesome and
amazing. You knew me thoroughly; 15 my bones
were not hidden from you, when I was made in
secret and sewed together in the depths of the
earth. 16 Your eyes saw me when I was inside the
womb. All the days ordained for me were recorded
in your scroll before one of them came into
existence.

17 וְלִי מַה־יָּקְרוּ רֵעֶיךָ אֵל מֶה עָצְמוּ רָאשֵׁיהֶם׃

18 אֶסְפְּרֵם מֵחוֹל יִרְבּוּן הֱקִיצֹתִי וְעוֹדִי עִמָּךְ׃

19 אִם־תִּקְטֹל אֱלוֹהַּ ׀ רָשָׁע וְאַנְשֵׁי דָמִים סוּרוּ מֶנִּי׃

20 אֲשֶׁר יֹאמְרֻךָ לִמְזִמָּה נָשֻׂא לַשָּׁוְא עָרֶיךָ׃

21 הֲלוֹא־מְשַׂנְאֶיךָ יְהוָה ׀ אֶשְׂנָא וּבִתְקוֹמְמֶיךָ אֶתְקוֹטָט׃

22 תַּכְלִית שִׂנְאָה שְׂנֵאתִים לְאוֹיְבִים הָיוּ לִי׃

23 חָקְרֵנִי אֵל וְדַע לְבָבִי בְּחָנֵנִי וְדַע שַׂרְעַפָּי׃

24 וּרְאֵה אִם־דֶּרֶךְ־עֹצֶב בִּי וּנְחֵנִי בְּדֶרֶךְ עוֹלָם׃

맛싸성경

17 하나님이시여! 주의 의도가 내게 얼마나 소중한지요. 그것들의 총체가 얼마나 셀 수 없으신지요(많은지요). 18 만일 내가 그것들을 세어도 그것들은 모래보다 많나이다. 내가 깨어날 때에도 나는 주와 함께 있나이다. 19 하나님이시여! 참으로 주께서 사악한 자를 죽이실 것이니 피 흘린 자여, 나에게서 떠나라. 20 그들은 주께 악한 의도로 말하며 그들은 주를 헛되이 들어 올리나이다. 21 여호와시여! 내가 주를 미워하는 자를 미워하지 않겠으며 주께 대항하는 자들을 몹시 싫어하지 않겠나이까? 22 내가 그들을 완전히 미워하니 그들이 내게 대적들이 되었나이다. 23 하나님이시여! 나를 살피시고 내 마음을 아소서. 나를 시험하시고 내 생각들을 아소서. 24 만일 내가 고통스러운 상처 주는 길에 있나 보시고 나를 영원한 길로 인도하소서.

NET

17 How difficult it is for me to fathom your thoughts about me, O God! How vast is their sum total. 18 If I tried to count them, they would outnumber the grains of sand. Even if I finished counting them, I would still have to contend with you. 19 If only you would kill the wicked, O God! Get away from me, you violent men! 20 They rebel against you and act deceitfully; your enemies lie. 21 O Lord, do I not hate those who hate you and despise those who oppose you? 22 I absolutely hate them; they have become my enemies. 23 Examine me, O God, and probe my thoughts. Test me, and know my concerns. 24 See if there is any idolatrous way in me, and lead me in the everlasting way.

1 לַמְנַצֵּחַ מִזְמוֹר לְדָוִד׃

2 חַלְּצֵנִי יְהוָה מֵאָדָם רָע מֵאִישׁ חֲמָסִים תִּנְצְרֵנִי׃

3 אֲשֶׁר חָשְׁבוּ רָעוֹת בְּלֵב כָּל־יוֹם יָגוּרוּ מִלְחָמוֹת׃

4 שָׁנֲנוּ לְשׁוֹנָם כְּמוֹ־נָחָשׁ חֲמַת עַכְשׁוּב תַּחַת שְׂפָתֵימוֹ סֶלָה׃

5 שָׁמְרֵנִי יְהוָה ׀ מִידֵי רָשָׁע מֵאִישׁ חֲמָסִים תִּנְצְרֵנִי

אֲשֶׁר חָשְׁבוּ לִדְחוֹת פְּעָמָי׃

6 טָמְנוּ־גֵאִים ׀ פַּח לִי וַחֲבָלִים פָּרְשׂוּ רֶשֶׁת לְיַד־מַעְגָּל מֹקְשִׁים

שָׁתוּ־לִי סֶלָה׃

맛싸성경

1(히, 140:1) [지휘자를 위한 다윗의 시편] (2) 여호와
시여! 악한 사람에게서 나를 구출하소서. 폭행하는 사
람에게서 나를 보호하소서. 2(3) 그들은 마음으로 악
을 생각하고 매일 전쟁을 선동하나이다. 3(4) 그들은
뱀같이 그들의 혀를 날카롭게 하고 독사의 독이 그들
의 입술 아래 있나이다. 쎌라. 4(5) 여호와시여! 사악
한 자의 손들에서 나를 지키시고 폭행하는 사람에게
서 나를 보호하소서. 그들은 내 발걸음을 밀어뜨리려
고 계획하나이다. 5(6) 교만한 자가 내게 올무를 숨겨
놓고 줄들로 그들이 그물을 펼치며 길가에서 나를 (잡
으려고) 덫을 놓았나이다.

NET

1(H 140:1) For the music director, a psalm of David.
(2) O Lord, rescue me from wicked men. Protect me
from violent men, 2(3) who plan ways to harm me.
All day long they stir up conflict. 3(4) Their tongues
wound like a serpent; a viper's venom is behind
their lips. (Selah) 4(5) O Lord, shelter me from the
power of the wicked. Protect me from violent men,
who plan to knock me over. 5(6) Proud men hide a
snare for me; evil men spread a net by the path.
They set traps for me. (Selah)

7 אָמַרְתִּי לַיהוָה אֵלִי אָתָּה הַאֲזִינָה יְהוָה קוֹל תַּחֲנוּנָי׃

8 יֱהֹוִה אֲדֹנָי עֹז יְשׁוּעָתִי סַכֹּתָה לְרֹאשִׁי בְּיוֹם נָשֶׁק׃

9 אַל־תִּתֵּן יְהוָה מַאֲוַיֵּי רָשָׁע זְמָמוֹ אַל־תָּפֵק יָרוּמוּ סֶלָה׃

10 רֹאשׁ מְסִבָּי עֲמַל שְׂפָתֵימוֹ [יְכַסּוּמוֹ כ] (יְכַסֵּמוֹ ק)׃

11 [יָמִיטוּ כ] (יִמּוֹטוּ ק) עֲלֵיהֶם גֶּחָלִים בָּאֵשׁ יַפִּלֵם בְּמַהֲמֹרוֹת בַּל־יָקוּמוּ׃

12 אִישׁ לָשׁוֹן בַּל־יִכּוֹן בָּאָרֶץ אִישׁ־חָמָס רָע יְצוּדֶנּוּ לְמַדְחֵפֹת׃

13 [יָדַעְתְּ כ] (יָדַעְתִּי ק) כִּי־יַעֲשֶׂה יְהוָה דִּין עָנִי מִשְׁפַּט אֶבְיֹנִים׃

14 אַךְ צַדִּיקִים יוֹדוּ לִשְׁמֶךָ יֵשְׁבוּ יְשָׁרִים אֶת־פָּנֶיךָ׃

맛싸성경

6(히, 140:7) 내가 여호와께 말하였나이다. "주는 내 하나님이시나이다. 여호와시여! 나의 (은혜) 간구하는 소리에 귀를 기울이소서." **7(8)** 나의 구원의 힘이 되시는 여호와 주님이시여! 주께서 전쟁 대열의 날에 내 머리를 가로막으셨나이다(감싸주셨나이다). **8(9)** 여호와시여! 사악한 자의 소원을 허락하지 마소서. 그 악한 계획이 이루어지지 말게 하셔서 그들이 높아지지 (않게 하소서). 셀라. **9(10)** 나를 둘러싸고 있는 자들의 우두머리에는 그 입술의 불행이 덮이게 하소서. **10(11)** 타는 숯불이 그들을 비틀거리게 하시고 그들을 불에 빠지게 하시며 바닥이 없는 함정으로 (빠지게 하셔서) 다시는 그들이 서지 못하게 하소서. **11(12)** 중상하는 자(혀의 사람)가 땅에 세워지지 못하게 하시고 악이 폭력의 사람을 사냥하여 급습하게 하소서. **12(13)** 내가 알기는 여호와는 어려움을 당한 자의 사건과 가난한 자들의 소송을 수행해 주시나이다. **13(14)** 참으로 의인들이 주의 이름을 찬양할 것이며 바른 자들이 주의 앞에 거할 것이나이다.

NET

6(H 140:7) I say to the Lord, "You are my God." O Lord, pay attention to my plea for mercy. **7(8)** O Sovereign Lord, my strong deliverer, you shield my head in the day of battle. **8(9)** O Lord, do not let the wicked have their way. Do not allow their plan to succeed when they attack. (Selah) **9(10)** As for the heads of those who surround me— may the harm done by their lips overwhelm them. **10(11)** May he rain down fiery coals upon them. May he throw them into the fire. From bottomless pits they will not escape. **11(12)** A slanderer will not endure on the earth; calamity will hunt down a violent man and strike him down. **12(13)** I know that the Lord defends the cause of the oppressed and vindicates the poor. **13(14)** Certainly the godly will give thanks to your name; the morally upright will live in your presence.

141 WLC

1 מִזְמוֹר לְדָוִד יְהוָה קְרָאתִיךָ חוּשָׁה לִּי הַאֲזִינָה קוֹלִי בְּקָרְאִי־לָךְ׃

2 תִּכּוֹן תְּפִלָּתִי קְטֹרֶת לְפָנֶיךָ מַשְׂאַת כַּפַּי מִנְחַת־עָרֶב׃

3 שִׁיתָה יְהוָה שָׁמְרָה לְפִי נִצְּרָה עַל־דַּל שְׂפָתָי׃

4 אַל־תַּט־לִבִּי לְדָבָר ׀ רָע לְהִתְעוֹלֵל עֲלִלוֹת ׀ בְּרֶשַׁע אֶת־אִישִׁים

פֹּעֲלֵי־אָוֶן וּבַל־אֶלְחַם בְּמַנְעַמֵּיהֶם׃

5 יֶהֶלְמֵנִי־צַדִּיק ׀ חֶסֶד וְיוֹכִיחֵנִי שֶׁמֶן רֹאשׁ אַל־יָנִי רֹאשִׁי כִּי־עוֹד

וּתְפִלָּתִי בְּרָעוֹתֵיהֶם׃

맛싸성경

1 [다윗의 시편] 여호와시여! 내가 주를 부르나니 나를 위하여 서둘러 주소서. 내가 주께 부르짖을 때 내 목소리에 귀(를) 기울이소서. 2 내 기도가 주의 얼굴 앞에서 분향단같이 되게 하소서. 내 손에서 들려짐이 저녁 희생(물)같이 되게 하소서. 3 여호와시여! 내 입에 파수꾼을 두시고 내 입술의 문을 지키소서. 4 내 마음을 악한 일에 향하지 말게 하시고 사악한 행위를 하는 사람들과 함께 악한 행동으로 마음대로 행하지 않게 하소서. 또 그들의 진미를 먹지 않게 하소서. 5 의인이 나를 치나 이것은 인애이고 그가 나를 훈계하나 이것은 내 머리에 기름이니 내 머리가 거절하지 말게 하소서. 이는 그들의 악행에도 내 기도가 있음이니이다.

NET

1 A psalm of David. O Lord, I cry out to you. Come quickly to me. Pay attention to me when I cry out to you. 2 May you accept my prayer like incense, my uplifted hands like the evening offering. 3 O Lord, place a guard on my mouth. Protect the opening of my lips. 4 Do not let me have evil desires or participate in sinful activities with men who behave wickedly. I will not eat their delicacies. 5 May the godly strike me in love and correct me. May my head not refuse choice oil. Indeed, my prayer is a witness against their evil deeds.

6 נִשְׁמְטוּ בִידֵי־סֶלַע שֹׁפְטֵיהֶם וְשָׁמְעוּ אֲמָרַי כִּי נָעֵמוּ׃

7 כְּמוֹ פֹלֵחַ וּבֹקֵעַ בָּאָרֶץ נִפְזְרוּ עֲצָמֵינוּ לְפִי שְׁאוֹל׃

8 כִּי אֵלֶיךָ ׀ יְהֹוִה אֲדֹנָי עֵינָי בְּכָה חָסִיתִי אַל־תְּעַר נַפְשִׁי׃

9 שָׁמְרֵנִי מִידֵי פַח יָקְשׁוּ לִי וּמֹקְשׁוֹת פֹּעֲלֵי אָוֶן׃

10 יִפְּלוּ בְמַכְמֹרָיו רְשָׁעִים יַחַד אָנֹכִי עַד־אֶעֱבוֹר׃

맛싸성경

6 그들의 재판관들이 바위 한 쪽에서 떨어졌으니 그들이 내 말을 들을 것이라. 이는 그들은 즐거워하였음이라. **7** 한 사람이 (땅을) 갈고 땅(흙)을 분쇄하듯이 우리 뼈들이 셰올의 입구에 흩어졌도다. **8** 그러나 주 여호와시여! 내 눈(들)이 주께 있고 내가 주를 피난처로 삼으니 내 생명을 (무방비로) 드러내지 마소서. **9** 나를 잡으려고 놓은 올무와 사악을 행하는 자들의 위로 함정들에서 나를 지키소서. **10** 내가 (안전하게) 지나는 동안 사악한 자들로 모두 자신의 그물에 빠지게(걸리게) 하소서.

NET

6 They will be thrown over the side of a cliff by their judges. They will listen to my words, for they are pleasant. **7** As when one plows and breaks up the soil, so our bones are scattered at the mouth of Sheol. **8** Surely I am looking to you, O Sovereign Lord. In you I take shelter. Do not expose me to danger. **9** Protect me from the snare they have laid for me and the traps the evildoers have set. **10** Let the wicked fall into their own nets, while I escape.

142 WLC

1 מַשְׂכִּיל לְדָוִד בִּהְיוֹתוֹ בַמְּעָרָה תְפִלָּה׃

2 קוֹלִי אֶל־יְהוָה אֶזְעָק קוֹלִי אֶל־יְהוָה אֶתְחַנָּן׃

3 אֶשְׁפֹּךְ לְפָנָיו שִׂיחִי צָרָתִי לְפָנָיו אַגִּיד׃

4 בְּהִתְעַטֵּף עָלַי ׀ רוּחִי וְאַתָּה יָדַעְתָּ נְתִיבָתִי בְּאֹרַח־זוּ אֲהַלֵּךְ טָמְנוּ פַח לִי׃

5 הַבֵּיט יָמִין ׀ וּרְאֵה וְאֵין־לִי מַכִּיר אָבַד מָנוֹס מִמֶּנִּי אֵין דּוֹרֵשׁ לְנַפְשִׁי׃

6 זָעַקְתִּי אֵלֶיךָ יְהוָה אָמַרְתִּי אַתָּה מַחְסִי חֶלְקִי בְּאֶרֶץ הַחַיִּים׃

7 הַקְשִׁיבָה ׀ אֶל־רִנָּתִי כִּי־דַלּוֹתִי מְאֹד הַצִּילֵנִי מֵרֹדְפַי כִּי אָמְצוּ מִמֶּנִּי׃

8 הוֹצִיאָה מִמַּסְגֵּר ׀ נַפְשִׁי לְהוֹדוֹת אֶת־שְׁמֶךָ בִּי יַכְתִּרוּ צַדִּיקִים
כִּי תִגְמֹל עָלָי׃

맛싸성경

1(히, 142:1) [다윗의 마스길. 그가 동굴에 있을 때의 기도] **(2)** 내가 내 목소리로 여호와께 부르짖으며 내가 내 목소리로 여호와께 은혜를 구하나이다. **2(3)** 내가 내 애통함을 그분 앞에 쏟아부으며 내 어려움을 그분 앞에 말하나이다. **3(4)** 내 영이 내 속에서 약해질 때도 주께서 나의 길을 아시며 내가 걸으려 하는 길에 그들이 나를 (잡으려고) 올무를 숨겨 두었습니다. **4(5)** 오른쪽을 바라보시고 또 보소서, 나를 알아주는 자도 없고 내게는 도망할 곳도 없으며 나를 찾아주는 자도 없나이다. **5(6)** 여호와시여! 내가 주께 부르짖나이다. "주는 나의 피난처이시고 살아 있는 자의 땅에서 나의 분깃이시나이다." **6(7)** 내 부르짖음에 귀 기울이소서. 이는 내가 매우 보잘것없게 되었기 때문입니다. 나를 좇아오는 자들에게서 나를 구출하소서. 이는 그들이 나보다 강하기 때문입니다. **7(8)** 내 영혼을 감옥에서 끌어내시고 나로 주의 이름을 찬양하게 하셔서 의인들로 나를 둘러싸게 하소서. 이는 주께서 나를 잘 대해 주심이니이다.

NET

1(H 142:1) A well-written song by David, when he was in the cave; a prayer. **(2)** To the Lord I cry out; to the Lord I plead for mercy. **2(3)** I pour out my lament before him; I tell him about my troubles. **3(4)** Even when my strength leaves me, you watch my footsteps. In the path where I walk they have hidden a trap for me. **4(5)** Look to the right and see. No one cares about me. I have nowhere to run; no one is concerned about my life. **5(6)** I cry out to you, O Lord; I say, "You are my shelter, my security in the land of the living." **6(7)** Listen to my cry for help, for I am in serious trouble. Rescue me from those who chase me, for they are stronger than I am. **7(8)** Free me from prison that I may give thanks to your name. Because of me the godly will assemble, for you will vindicate me.

143 WLC

1 מִזְמוֹר לְדָוִד יְהוָה ׀ שְׁמַע תְּפִלָּתִי הַאֲזִינָה אֶל־תַּחֲנוּנַי בֶּאֱמֻנָתְךָ
עֲנֵנִי בְּצִדְקָתֶךָ׃
2 וְאַל־תָּבוֹא בְמִשְׁפָּט אֶת־עַבְדֶּךָ כִּי לֹא־יִצְדַּק לְפָנֶיךָ כָל־חָי׃
3 כִּי רָדַף אוֹיֵב ׀ נַפְשִׁי דִּכָּא לָאָרֶץ חַיָּתִי הוֹשִׁיבַנִי בְמַחֲשַׁכִּים
כְּמֵתֵי עוֹלָם׃
4 וַתִּתְעַטֵּף עָלַי רוּחִי בְּתוֹכִי יִשְׁתּוֹמֵם לִבִּי׃
5 זָכַרְתִּי יָמִים ׀ מִקֶּדֶם הָגִיתִי בְכָל־פָּעֳלֶךָ בְּמַעֲשֵׂה יָדֶיךָ אֲשׂוֹחֵחַ׃
6 פֵּרַשְׂתִּי יָדַי אֵלֶיךָ נַפְשִׁי ׀ כְּאֶרֶץ־עֲיֵפָה לְךָ סֶלָה׃

맛싸성경

1 [다윗의 시편] 여호와시여! 내 기도를 들으시고 내 (은혜의) 간구(간청)에 귀 기울이소서. 주의 신실하심과 주의 의로우심으로 내게 응답하소서. 2 주의 종을 심판 가운데 들어가게 마소서. 이는 살아있는 어느 누구도 주의 앞에서 의롭지 않기 때문이니이다. 3 원수가 내 생명을 뒤쫓으며 내 생명을 땅에 짓누르오니 나를 영원히 죽은 자같이 어두운 곳에 두었나이다. 4 그러므로 내 영이 내 속에서 약하여 쓰러지며 내 마음이 내 속에서 (놀라) 황폐해졌나이다. 5 내가 오래전 날들을 기억하였고 내가 주의 행하신 모든 것을 깊이 생각하며 주의 손으로 만드신 것을 내가 묵상하였나이다. 6 주를 향하여 내 손을 펼치고 내 영혼이 주를 향하여 메마른 땅같이 되었나이다. 셀라.

NET

1 A psalm of David. O Lord, hear my prayer. Pay attention to my plea for help. Because of your faithfulness and justice, answer me. 2 Do not sit in judgment on your servant, for no one alive is innocent before you. 3 Certainly my enemies chase me. They smash me into the ground. They force me to live in dark regions, like those who have been dead for ages. 4 My strength leaves me; I am absolutely shocked. 5 I recall the old days. I meditate on all you have done; I reflect on your accomplishments. 6 I spread my hands out to you in prayer; my soul thirsts for you in a parched land.(Selah)

7 מַהֵר עֲנֵנִי ׀ יְהוָה כָּלְתָה רוּחִי אַל־תַּסְתֵּר פָּנֶיךָ מִמֶּנִּי וְנִמְשַׁלְתִּי עִם־יֹרְדֵי בוֹר׃

8 הַשְׁמִיעֵנִי בַבֹּקֶר ׀ חַסְדֶּךָ כִּי־בְךָ בָטָחְתִּי הוֹדִיעֵנִי דֶּרֶךְ־זוּ אֵלֵךְ כִּי־אֵלֶיךָ
נָשָׂאתִי נַפְשִׁי׃

9 הַצִּילֵנִי מֵאֹיְבַי ׀ יְהוָה אֵלֶיךָ כִסִּתִי׃

10 לַמְּדֵנִי ׀ לַעֲשׂוֹת רְצוֹנֶךָ כִּי־אַתָּה אֱלוֹהָי רוּחֲךָ טוֹבָה תַּנְחֵנִי בְּאֶרֶץ מִישׁוֹר׃

11 לְמַעַן־שִׁמְךָ יְהוָה תְּחַיֵּנִי בְּצִדְקָתְךָ ׀ תוֹצִיא מִצָּרָה נַפְשִׁי׃

12 וּבְחַסְדְּךָ תַּצְמִית אֹיְבָי וְהַאֲבַדְתָּ כָּל־צֹרֲרֵי נַפְשִׁי כִּי אֲנִי עַבְדֶּךָ׃

맛싸성경

7 여호와시여! 속히 내게 응답하소서. 내 영이 쇠약하오니 주의 얼굴을 내게서 감추지 마시고 구덩이로 내려가는 자같이 되지 않게 하소서. **8** 아침에 주의 인애하심으로 나로 듣게 하소서. 이는 내가 주를 신뢰함이니이다. 어느 길을 가야 할지 내게 알게 하소서. 이는 내가 주를 향하여 내 영혼을 들어 올렸기 때문이니이다. **9** 여호와시여! 내 원수들에게서 나를 구출하소서. 주께로 나를 숨겼나이다. **10** 주의 (기쁜) 뜻을 행하도록 나를 가르치소서. 이는 주께서 나의 하나님이심이니이다. 선하신 주의 영으로 나를 평평한 곳으로 인도하소서. **11** 여호와시여! 주의 이름을 위하여 나를 살리시고 주의 의로움으로 내 영혼을 적대감(고난)에서 나오게 하소서. **12** 주의 인애하심으로 내 원수들을 끝장내시고 주께서 내 영혼의 모든 대적들을 멸하실 것이니 이는 내가 주의 종이기 때문이나이다.

NET

7 Answer me quickly, Lord. My strength is fading. Do not reject me, or I will join those descending into the grave. **8** May I hear about your loyal love in the morning, for I trust in you. Show me the way I should go, because I long for you. **9** Rescue me from my enemies, O Lord. I run to you for protection. **10** Teach me to do what pleases you, for you are my God. May your kind presence lead me into a level land. **11** O Lord, for the sake of your reputation, revive me. Because of your justice, rescue me from trouble. **12** As a demonstration of your loyal love, destroy my enemies. Annihilate all who threaten my life, for I am your servant.

144 WLC

1 לְדָוִד ׀ בָּרוּךְ יְהוָה ׀ צוּרִי הַמְלַמֵּד יָדַי לַקְרָב אֶצְבְּעוֹתַי לַמִּלְחָמָה׃

2 חַסְדִּי וּמְצוּדָתִי מִשְׂגַּבִּי וּמְפַלְטִי לִי מָגִנִּי וּבוֹ חָסִיתִי הָרוֹדֵד עַמִּי תַחְתָּי׃

3 יְהוָה מָה־אָדָם וַתֵּדָעֵהוּ בֶּן־אֱנוֹשׁ וַתְּחַשְּׁבֵהוּ׃

4 אָדָם לַהֶבֶל דָּמָה יָמָיו כְּצֵל עוֹבֵר׃

5 יְהוָה הַט־שָׁמֶיךָ וְתֵרֵד גַּע בֶּהָרִים וְיֶעֱשָׁנוּ׃

6 בְּרוֹק בָּרָק וּתְפִיצֵם שְׁלַח חִצֶּיךָ וּתְהֻמֵּם׃

7 שְׁלַח יָדֶיךָ מִמָּרוֹם פְּצֵנִי וְהַצִּילֵנִי מִמַּיִם רַבִּים מִיַּד בְּנֵי נֵכָר׃

8 אֲשֶׁר פִּיהֶם דִּבֶּר־שָׁוְא וִימִינָם יְמִין שָׁקֶר׃

맛싸성경

1 [다윗의 (시)] 여호와를 송축하라. (그분은) 나의 반석이시며 전쟁을 위하여 내 손가락을 싸움을 위하여 내 손을 훈련시키시는 분이시라. 2 (그분은) 나의 인애이시고 나의 요새이시며 나의 피난처이시고 구원자이시니 내게 방패이시다. 그분 안에서 내가 피난처를 삼았고 내 백성을 내 아래 굴복하게 하시는도다. 3 여호와시여! 사람이 무엇이기에 주께서 돌봐주시며 인자가 (누구이기에) 그를 생각해 주시나이까? 4 사람은 (지나가는) 호흡과 같고 그의 날은 사라지는 그림자와 같나이다. 5 여호와시여! 주의 하늘을 펴시고 내려오셔서 산(들)을 만져주시며 구름으로 두르소서(연기를 내소서). 6 번개의 번쩍임으로 그들을 쫓아내시고 주의 화살을 보내셔서 그들을 혼돈스럽게 하소서. 7 높은 곳에서 주의 손을 내 보내사 나를 풀어주시고 많은 물들과 이방인들의 손에서 나를 구출하소서. 8 그들의 입들은 헛된 것을 말하고 그들의 오른손들은 거짓된 오른손이니이다.

NET

1 By David. The Lord, my Protector, deserves praise— the one who trains my hands for battle and my fingers for war, 2 who loves me and is my stronghold, my refuge and my deliverer, my shield and the one in whom I take shelter, who makes nations submit to me. 3 O Lord, of what importance is the human race that you should notice them? Of what importance is mankind that you should be concerned about them? 4 People are like a vapor, their days like a shadow that disappears. 5 O Lord, make the sky sink and come down. Touch the mountains and make them smolder. 6 Hurl lightning bolts and scatter the enemy. Shoot your arrows and rout them. 7 Reach down from above. Grab me and rescue me from the surging water, from the power of foreigners 8 who speak lies and make false promises.

144 WLC

9 אֱלֹהִים שִׁיר חָדָשׁ אָשִׁירָה לָּךְ בְּנֵבֶל עָשׂוֹר אֲזַמְּרָה־לָּךְ׃

10 הַנּוֹתֵן תְּשׁוּעָה לַמְּלָכִים הַפּוֹצֶה אֶת־דָּוִד עַבְדּוֹ מֵחֶרֶב רָעָה׃

11 פְּצֵנִי וְהַצִּילֵנִי מִיַּד בְּנֵי־נֵכָר אֲשֶׁר פִּיהֶם דִּבֶּר־שָׁוְא וִימִינָם יְמִין שָׁקֶר׃

12 אֲשֶׁר בָּנֵינוּ ׀ כִּנְטִעִים מְגֻדָּלִים בִּנְעוּרֵיהֶם בְּנוֹתֵינוּ כְזָוִיֹּת מְחֻטָּבוֹת
תַּבְנִית הֵיכָל׃

13 מְזָוֵינוּ מְלֵאִים מְפִיקִים מִזַּן אֶל־זַן צֹאונֵנוּ מַאֲלִיפוֹת מְרֻבָּבוֹת בְּחוּצוֹתֵינוּ׃

14 אַלּוּפֵינוּ מְסֻבָּלִים אֵין־פֶּרֶץ וְאֵין יוֹצֵאת וְאֵין צְוָחָה בִּרְחֹבֹתֵינוּ׃

15 אַשְׁרֵי הָעָם שֶׁכָּכָה לּוֹ אַשְׁרֵי הָעָם שֶׁיְהוָה אֱלֹהָיו׃

맛싸성경

9 하나님이시여! 내가 새 노래로 주께 노래하며 내가 10줄의 네벨(하프)로 주께 찬송하겠나이다. 10 (주는) 왕들에게 구원(승리)을 주시고 위험한 칼에서부터 그분의 종 다윗을 해방하시는 분이시도다. 11 나를 해방하시고 이방인들 자손의 손에서 나를 구출하소서. 그들의 입은 헛된 것을 말하고 그들의 오른손들은 거짓된 오른손이나이다. 12 우리 아들들은 그들의 소년기에 잘 자란 식물 같으며 우리 딸들은 성전 구조를 위한 모퉁이 기둥 같을 것이나이다. 13 우리 곳간은 가득 차서 이 종류에서 저 종류까지 제공되며 우리 양들은 수천으로 우리의 들에서 수만으로 되게 하소서. 14 우리 가축은 무거운 짐을 지고 (적의 공격으로) 뚫림도 없으며 (잡혀) 나아감도 없고 우리들의 광장에는 비명소리도 없을 것이나이다. 15 복 있는 백성은 그분을 위한 이런 백성들이로다. 복 있는 백성은 그의 하나님이 여호와이신 자로다.

NET

9 O God, I will sing a new song to you. Accompanied by a ten-stringed instrument, I will sing praises to you, 10 the one who delivers kings and rescued David his servant from a deadly sword. 11 Grab me and rescue me from the power of foreigners who speak lies and make false promises. 12 Then our sons will be like plants, that quickly grow to full size. Our daughters will be like corner pillars, carved like those in a palace. 13 Our storehouses will be full, providing all kinds of food. Our sheep will multiply by the thousands and fill our pastures. 14 Our cattle will be weighted down with produce. No one will break through our walls, no one will be taken captive, and there will be no terrified cries in our city squares. 15 How blessed are the people who experience these things. How blessed are the people whose God is the Lord.

145 WLC

1 תְּהִלָּה לְדָוִד אֲרוֹמִמְךָ אֱלוֹהַי הַמֶּלֶךְ וַאֲבָרְכָה שִׁמְךָ לְעוֹלָם וָעֶד׃

2 בְּכָל־יוֹם אֲבָרְכֶךָּ וַאֲהַלְלָה שִׁמְךָ לְעוֹלָם וָעֶד׃

3 גָּדוֹל יְהוָה וּמְהֻלָּל מְאֹד וְלִגְדֻלָּתוֹ אֵין חֵקֶר׃

4 דּוֹר לְדוֹר יְשַׁבַּח מַעֲשֶׂיךָ וּגְבוּרֹתֶיךָ יַגִּידוּ׃

5 הֲדַר כְּבוֹד הוֹדֶךָ וְדִבְרֵי נִפְלְאוֹתֶיךָ אָשִׂיחָה׃

6 וֶעֱזוּז נוֹרְאֹתֶיךָ יֹאמֵרוּ [וּגְדוּלֹּתֶיךָ כ] (וּגְדוּלָּתְךָ ק) אֲסַפְּרֶנָּה׃

7 זֵכֶר רַב־טוּבְךָ יַבִּיעוּ וְצִדְקָתְךָ יְרַנֵּנוּ׃

맛싸성경

1 [다윗의 찬양] 나의 하나님 나의 왕이시여! 내가 주를 높이나이다. 내가 주의 이름을 영원에서 영원까지 송축하나이다. 2 매일 내가 주를 송축하며 내가 주의 이름을 영원에서 영원까지 찬양하나이다. 3 여호와는 크시며 매우(크게) 찬양을 받으시고 그의 위대하심은 헤아릴 수 없도다. 4 한 세대가 다른 세대까지 주의 행하심을 찬미하며 주의 능력을 선포하리이다. 5 장엄함의 영광을 내가 찬양하며 주의 놀라우신 일들을 (묵상하며) 노래하겠나이다. 6 그들은 주의 두려우심의 능력을 말할 것이며 나도 주의 위대하심을 선포하리이다. 7 그들은 주의 많은(크신) 선하심의 명성을 솟아 나오게 하며 주의 위대하심을 (기쁘게) 노래하나이다.

NET

1 A psalm of praise; by David. I will extol you, my God, O King. I will praise your name continually. 2 Every day I will praise you. I will praise your name continually. 3 The Lord is great and certainly worthy of praise. No one can fathom his greatness. 4 One generation will praise your deeds to another and tell about your mighty acts. 5 I will focus on your honor and majestic splendor and your amazing deeds. 6 They will proclaim the power of your awesome acts. I will declare your great deeds. 7 They will talk about the fame of your great kindness and sing about your justice.

145 WLC

8 חַנּוּן וְרַחוּם יְהוָה אֶרֶךְ אַפַּיִם וּגְדָל־חָסֶד׃

9 טוֹב־יְהוָה לַכֹּל וְרַחֲמָיו עַל־כָּל־מַעֲשָׂיו׃

10 יוֹדוּךָ יְהוָה כָּל־מַעֲשֶׂיךָ וַחֲסִידֶיךָ יְבָרֲכוּכָה׃

11 כְּבוֹד מַלְכוּתְךָ יֹאמֵרוּ וּגְבוּרָתְךָ יְדַבֵּרוּ׃

12 לְהוֹדִיעַ ׀ לִבְנֵי הָאָדָם גְּבוּרֹתָיו וּכְבוֹד הֲדַר מַלְכוּתוֹ׃

13 מַלְכוּתְךָ מַלְכוּת כָּל־עֹלָמִים וּמֶמְשֶׁלְתְּךָ בְּכָל־דּוֹר וָדוֹר׃

14 סוֹמֵךְ יְהוָה לְכָל־הַנֹּפְלִים וְזוֹקֵף לְכָל־הַכְּפוּפִים׃

맛싸성경

8 여호와는 은혜로우시고 긍휼이 많으시며 진노를 오래 참으시고 인애가 크시도다. 9 여호와는 모든 것에 좋으시며 그분의 긍휼하심은 그분의 모든 일에 있도다. 10 여호와시여! 주의 모든 피조물은 주를 찬양할 것이며 주의 신실한 자들은 주를 송축하나이다. 11 그들이 주의 나라의 영광을 말하며 주의 능력을 이야기하여 12 사람의 자녀들에게 주의 능력과 그분의 왕국의 영광스러운 장엄함을 알게 할 것이니이다. 13 주의 나라는 모든 시대의 (지속되는) 나라이며 주의 통치는 모든 세대와 세대에 있을 것이니이다. 14 여호와는 모든 쓰러진 자들을 붙드시며 굴복당한 모든 자를 일으키시도다.

NET

8 The Lord is merciful and compassionate; he is patient and demonstrates great loyal love. 9 The Lord is good to all and has compassion on all he has made. 10 All your works will give thanks to you, Lord. Your loyal followers will praise you. 11 They will proclaim the splendor of your kingdom; they will tell about your power, 12 so that mankind might acknowledge your mighty acts and the majestic splendor of your kingdom. 13 Your kingdom is an eternal kingdom, and your dominion endures through all generations. 14 The Lord supports all who fall and lifts up all who are bent over.

15 עֵֽינֵי־כֹל אֵלֶיךָ יְשַׂבֵּרוּ וְאַתָּה נוֹתֵֽן־לָהֶם אֶת־אָכְלָם בְּעִתּֽוֹ׃

16 פּוֹתֵחַ אֶת־יָדֶךָ וּמַשְׂבִּיעַ לְכָל־חַי רָצֽוֹן׃

17 צַדִּיק יְהוָה בְּכָל־דְּרָכָיו וְחָסִיד בְּכָל־מַעֲשָֽׂיו׃

18 קָרוֹב יְהוָה לְכָל־קֹרְאָיו לְכֹל אֲשֶׁר יִקְרָאֻהוּ בֶאֱמֶֽת׃

19 רְצוֹן־יְרֵאָיו יַעֲשֶׂה וְאֶת־שַׁוְעָתָם יִשְׁמַע וְיוֹשִׁיעֵֽם׃

20 שׁוֹמֵר יְהוָה אֶת־כָּל־אֹהֲבָיו וְאֵת כָּל־הָרְשָׁעִים יַשְׁמִֽיד׃

21 תְּהִלַּת יְהוָה יְֽדַבֶּר־פִּי וִיבָרֵךְ כָּל־בָּשָׂר שֵׁם קָדְשׁוֹ לְעוֹלָם וָעֶֽד׃

맛싸성경

15 모든 눈들이 주를 바라볼 것이니 또한 주는 그들에게 때를 따라 그들의 양식을 주시도다. 16 주는 주의 손을 여시며 살아 있는 모든 것을 기쁜 뜻으로(호의로) 만족하게 하시도다. 17 여호와는 그분의 모든 길에서 의로우시며 그분의 모든 행하심에서 신실하시도다. 18 여호와는 자기를 부르는 모든 자들에게 가까이하시며 진리 안에 그분을 부르는 모든 자들에게도 (가까이하시도다). 19 주는 그분을 경외하는 자들의 소원을 이루시며 또한 그들의 부르짖음을 들으셔서 그들을 구원하시도다. 20 여호와는 자기를 사랑하는 모든 자들을 지켜주시나 모든 사악한 자들을 (그분은) 멸망시키실 것이라. 21 내 입이 여호와의 찬양을 (말)하며 모든 육체도 그 거룩하신 이름을 영원에서 영원까지 송축할 것이라.

NET

15 Everything looks to you in anticipation, and you provide them with food on a regular basis. 16 You open your hand and fill every living thing with the food it desires. 17 The Lord is just in all his actions and exhibits love in all he does. 18 The Lord is near all who cry out to him, all who cry out to him sincerely. 19 He satisfies the desire of his loyal followers; he hears their cry for help and delivers them. 20 The Lord protects all those who love him, but he destroys all the wicked. 21 My mouth will praise the Lord. Let all who live praise his holy name forever.

146 WLC

1 הַלְלוּ־יָהּ הַלְלִי נַפְשִׁי אֶת־יְהוָה׃

2 אֲהַלְלָה יְהוָה בְּחַיָּי אֲזַמְּרָה לֵאלֹהַי בְּעוֹדִי׃

3 אַל־תִּבְטְחוּ בִנְדִיבִים בְּבֶן־אָדָם ׀ שֶׁאֵין לוֹ תְשׁוּעָה׃

4 תֵּצֵא רוּחוֹ יָשֻׁב לְאַדְמָתוֹ בַּיּוֹם הַהוּא אָבְדוּ עֶשְׁתֹּנֹתָיו׃

5 אַשְׁרֵי שֶׁאֵל יַעֲקֹב בְּעֶזְרוֹ שִׂבְרוֹ עַל־יְהוָה אֱלֹהָיו׃

6 עֹשֶׂה ׀ שָׁמַיִם וָאָרֶץ אֶת־הַיָּם וְאֶת־כָּל־אֲשֶׁר־בָּם הַשֹּׁמֵר אֱמֶת לְעוֹלָם׃

7 עֹשֶׂה מִשְׁפָּט ׀ לָעֲשׁוּקִים נֹתֵן לֶחֶם לָרְעֵבִים יְהוָה מַתִּיר אֲסוּרִים׃

8 יְהוָה ׀ פֹּקֵחַ עִוְרִים יְהוָה זֹקֵף כְּפוּפִים יְהוָה אֹהֵב צַדִּיקִים׃

9 יְהוָה ׀ שֹׁמֵר אֶת־גֵּרִים יָתוֹם וְאַלְמָנָה יְעוֹדֵד וְדֶרֶךְ רְשָׁעִים יְעַוֵּת׃

10 יִמְלֹךְ יְהוָה ׀ לְעוֹלָם אֱלֹהַיִךְ צִיּוֹן לְדֹר וָדֹר הַלְלוּ־יָהּ׃

맛싸성경

1 할렐루야(여호와를 찬양하라). 내 영혼아, 여호와를 찬양하라. 2 내가 사는 동안(평생에) 나는 여호와를 찬양하며 내가 있는 동안(생전에) 여호와를 찬송할 것이라. 3 고관들을 의지하지 말고 구원이 없는 사람의 아들도 (의지하지) 마라. 4 그의 호흡이 나오면(끊어지면) 그는 흙으로 돌아가니 그날에 그의 계획은 없어질 것이라. 5 복이 있는 자는 야곱의 하나님으로 그의 도우심이 있고(삼고) 그의 소망이 그분의 하나님 여호와께 있는 자로다. 6 (그분은) 하늘과 땅과 바다와 그 가운데 있는 모든 것을 만드신 분이시며 진리를 영원히 지키시는 분이시로다. 7 (그분은) 학대당한 자들에게 공의를 행하시고 주리는 자들에게 음식을 주시는 분이시다. 여호와는 갇힌 자들을 풀어주시는도다. 8 여호와는 시각장애인들의 (눈을) 여시고 여호와는 굴욕당한 자들을 일으키시며 여호와는 의인들을 사랑하시는도다. 9 여호와는 거류민들을 지키시고 고아와 과부를 도와주시며 사악한 자의 길을 굽게 하시는도다. 10 여호와가 영원히 통치하시니 시온아, 너의 하나님은 세대와 세대까지 (그리하실 것이로다). 할렐루야(여호와를 찬양하라).

NET

1 Praise the Lord. Praise the Lord, O my soul. 2 I will praise the Lord as long as I live. I will sing praises to my God as long as I exist. 3 Do not trust in princes, or in human beings, who cannot deliver. 4 Their life's breath departs, they return to the ground. On that day their plans die. 5 How blessed is the one whose helper is the God of Jacob, whose hope is in the Lord his God. 6 The one who made heaven and earth, the sea, and all that is in them, who remains forever faithful, 7 vindicates the oppressed, and gives food to the hungry. The Lord releases the imprisoned. 8 The Lord gives sight to the blind. The Lord lifts up all who are bent over. The Lord loves the godly. 9 The Lord protects the resident foreigner. He lifts up the fatherless and the widow, but he opposes the wicked. 10 The Lord rules forever, your God, O Zion, throughout the generations to come. Praise the Lord!

147 WLC

1 הַלְלוּ יָהּ ׀ כִּי־טוֹב זַמְּרָה אֱלֹהֵינוּ כִּי־נָעִים נָאוָה תְהִלָּה׃

2 בּוֹנֵה יְרוּשָׁלַם יְהוָה נִדְחֵי יִשְׂרָאֵל יְכַנֵּס׃

3 הָרֹפֵא לִשְׁבוּרֵי לֵב וּמְחַבֵּשׁ לְעַצְּבוֹתָם׃

4 מוֹנֶה מִסְפָּר לַכּוֹכָבִים לְכֻלָּם שֵׁמוֹת יִקְרָא׃

5 גָּדוֹל אֲדוֹנֵינוּ וְרַב־כֹּחַ לִתְבוּנָתוֹ אֵין מִסְפָּר׃

맛싸성경

1 할렐루야(여호와를 찬양하라). 이는 우리 하나님을 찬송하는 것이 좋으며 이는 찬양은 기쁘고 합당하도다. 2 여호와는 예루살렘을 세우시고 이스라엘의 흩어진 자들을 모으시도다. 3 그분은 마음이 상한 자를 치료하시고 그들의 상처를 (붕대로) 감아주시도다. 4 (그분은) 별들의 수를 세시고 그것들의 모든 이름을 부르시도다. 5 우리 주는 크시고 능력이 많으시며 그분의 이해력은 무한하시도다(잴 수 없도다).

NET

1 Praise the Lord, for it is good to sing praises to our God. Yes, praise is pleasant and appropriate. 2 The Lord rebuilds Jerusalem and gathers the exiles of Israel. 3 He heals the brokenhearted and bandages their wounds. 4 He counts the number of the stars; he names all of them. 5 Our Lord is great and has awesome power; there is no limit to his wisdom.

6 מְעוֹדֵד עֲנָוִים יְהוָה מַשְׁפִּיל רְשָׁעִים עֲדֵי־אָרֶץ׃

7 עֱנוּ לַיהוָה בְּתוֹדָה זַמְּרוּ לֵאלֹהֵינוּ בְכִנּוֹר׃

8 הַמְכַסֶּה שָׁמַיִם ׀ בְּעָבִים הַמֵּכִין לָאָרֶץ מָטָר הַמַּצְמִיחַ הָרִים חָצִיר׃

9 נוֹתֵן לִבְהֵמָה לַחְמָהּ לִבְנֵי עֹרֵב אֲשֶׁר יִקְרָאוּ׃

10 לֹא בִגְבוּרַת הַסּוּס יֶחְפָּץ לֹא־בְשׁוֹקֵי הָאִישׁ יִרְצֶה׃

11 רוֹצֶה יְהוָה אֶת־יְרֵאָיו אֶת־הַמְיַחֲלִים לְחַסְדּוֹ׃

맛싸성경

6 여호와는 겸손한 자를 도와주시고 사악한 자들을 땅 끝으로 낮추시도다. **7** 감사함으로 여호와께 노래(로 답)하고 킨노르(수금)로 우리 하나님께 찬송하라. **8** 그분은 구름으로 하늘을 덮으시고 비로 땅을 준비하시며 산(들)에는 풀들로 돋아나게 하시도다. **9** 짐승들에게는 그들의 양식을 주시고 우는 까마귀 새끼들에게도 (주시도다). **10** 그분은 말의 힘을 기뻐하시지 않으시고 사람의 허벅지도 기뻐 받으시지 않으시나 **11** 여호와는 자기를 경외하는 자를 기뻐 받으시고 그분의 신실하심을 기다리는(소망하는) 자들을 (기뻐하시도다).

NET

6 The Lord lifts up the oppressed, but knocks the wicked to the ground. **7** Offer to the Lord a song of thanks. Sing praises to our God to the accompaniment of a harp. **8** He covers the sky with clouds, provides the earth with rain, and causes grass to grow on the hillsides. **9** He gives food to the animals and to the young ravens when they chirp. **10** He is not enamored with the strength of a horse, nor is he impressed by the warrior's strong legs. **11** The Lord takes delight in his faithful followers and in those who wait for his loyal love.

12 שַׁבְּחִי יְרוּשָׁלַם אֶת־יְהוָה הַלְלִי אֱלֹהַיִךְ צִיּוֹן׃

13 כִּי־חִזַּק בְּרִיחֵי שְׁעָרָיִךְ בֵּרַךְ בָּנַיִךְ בְּקִרְבֵּךְ׃

14 הַשָּׂם־גְּבוּלֵךְ שָׁלוֹם חֵלֶב חִטִּים יַשְׂבִּיעֵךְ׃

15 הַשֹּׁלֵחַ אִמְרָתוֹ אָרֶץ עַד־מְהֵרָה יָרוּץ דְּבָרוֹ׃

16 הַנֹּתֵן שֶׁלֶג כַּצָּמֶר כְּפוֹר כָּאֵפֶר יְפַזֵּר׃

17 מַשְׁלִיךְ קַרְחוֹ כְפִתִּים לִפְנֵי קָרָתוֹ מִי יַעֲמֹד׃

18 יִשְׁלַח דְּבָרוֹ וְיַמְסֵם יַשֵּׁב רוּחוֹ יִזְּלוּ־מָיִם׃

19 מַגִּיד [דְּבָרוֹ כ] (דְּבָרָיו ק) לְיַעֲקֹב חֻקָּיו וּמִשְׁפָּטָיו לְיִשְׂרָאֵל׃

20 לֹא עָשָׂה כֵן ׀ לְכָל־גּוֹי וּמִשְׁפָּטִים בַּל־יְדָעוּם הַלְלוּ־יָהּ׃

맛싸성경

12 예루살렘아, 여호와를 찬미하라. 시온아, 네 하나
님을 찬양하라. 13 이는 그분은 네 문의 빗장으로 강
하게 하시고 네 가운데 있는 네 자녀에게 복을 주심이
라. 14 (그분은) 네 지경에 평안을 두시고 가장 기름
진 밀로 너를 배부르게 하시는도다. 15 (그분은) 땅에
그분의 말씀을 보내시니 그분의 말씀은 급하게 달려
가는도다. 16 (그분은) 양털 같은 눈을 주시고 재 같
은 서리를 흩어주시는도다. 17 (그분은) 빵 조각 같은
우박을 던지시니 누가 그분의 추위 앞에 맞서겠는가?
18 (그분은) 그분의 말씀을 보내셔서 그것들을 녹이
시고 바람을 불게 하시니 물은 흘러가는도다. 19 (그
분은) 그분의 말씀을 야곱에게 선포하시고 그분의 규
례와 법령을 이스라엘에게 (선포하시는도다). 20 (그
분은) 어떤 민족들에게도 이렇게 행하지 않으셨으니
그들은 법령(심판)을 알지 못하는도다. 할렐루야(여호
와를 찬양하라).

NET

12 Extol the Lord, O Jerusalem. Praise your God, O
Zion. 13 For he makes the bars of your gates strong.
He blesses your children within you. 14 He brings
peace to your territory. He abundantly provides for
you the best grain. 15 He sends his command
through the earth; swiftly his order reaches its
destination. 16 He sends the snow that is white like
wool; he spreads the frost that is white like ashes.
17 He throws his hailstones like crumbs. Who can
withstand the cold wind he sends? 18 He then
orders it all to melt; he breathes on it, and the water
flows. 19 He proclaims his word to Jacob, his
statutes and regulations to Israel. 20 He has not
done so with any other nation; they are not aware
of his regulations. Praise the Lord!

148 WLC

1 הַלְלוּ יָהּ ׀ הַלְלוּ אֶת־יְהוָה מִן־הַשָּׁמַיִם הַלְלוּהוּ בַּמְּרוֹמִים׃

2 הַלְלוּהוּ כָל־מַלְאָכָיו הַלְלוּהוּ כָּל־[צְבָאוֹ כ] (צְבָאָיו ק)׃

3 הַלְלוּהוּ שֶׁמֶשׁ וְיָרֵחַ הַלְלוּהוּ כָּל־כּוֹכְבֵי אוֹר׃

4 הַלְלוּהוּ שְׁמֵי הַשָּׁמָיִם וְהַמַּיִם אֲשֶׁר ׀ מֵעַל הַשָּׁמָיִם׃

5 יְהַלְלוּ אֶת־שֵׁם יְהוָה כִּי הוּא צִוָּה וְנִבְרָאוּ׃

6 וַיַּעֲמִידֵם לָעַד לְעוֹלָם חָק־נָתַן וְלֹא יַעֲבוֹר׃

7 הַלְלוּ אֶת־יְהוָה מִן־הָאָרֶץ תַּנִּינִים וְכָל־תְּהֹמוֹת׃

맛싸성경

1 할렐루야(여호와를 찬양하라). 하늘에서부터 여호와를 찬양하고 높은 곳에서 여호와를 찬양하라. 2 그분의 모든 천사들은 그분을 찬양하고 그분의 하늘의 군대들도 그분을 찬양하라. 3 해와 달도 그분을 찬양하고 빛나는 모든 별들도 그분을 찬양하라. 4 하늘의 하늘과 하늘 위에 있는 물들도 그분을 찬양하라. 5 그것들은 여호와의 이름을 찬양할지어다. 이는 그분이 명령하시고 그것들은 창조되었음이라. 6 그분이 그것들을 영원히 세우시고 규례를 주셔서 지나치지(없어지지) 않게 하셨도다. 7 땅에서부터 여호와를 찬양하라. 바다 괴물과 모든 깊은 곳들도 (그리하라).

NET

1 Praise the Lord. Praise the Lord from the sky. Praise him in the heavens. 2 Praise him, all his angels. Praise him, all his heavenly assembly. 3 Praise him, O sun and moon. Praise him, all you shiny stars. 4 Praise him, O highest heaven and you waters above the sky. 5 Let them praise the name of the Lord, for he gave the command and they came into existence. 6 He established them so they would endure; he issued a decree that will not be revoked. 7 Praise the Lord from the earth, you sea creatures and all you ocean depths,

148 WLC

8 אֵשׁ וּבָרָד שֶׁלֶג וְקִיטוֹר רוּחַ סְעָרָה עֹשָׂה דְבָרוֹ׃

9 הֶהָרִים וְכָל־גְּבָעוֹת עֵץ פְּרִי וְכָל־אֲרָזִים׃

10 הַחַיָּה וְכָל־בְּהֵמָה רֶמֶשׂ וְצִפּוֹר כָּנָף׃

11 מַלְכֵי־אֶרֶץ וְכָל־לְאֻמִּים שָׂרִים וְכָל־שֹׁפְטֵי אָרֶץ׃

12 בַּחוּרִים וְגַם־בְּתוּלוֹת זְקֵנִים עִם־נְעָרִים׃

13 יְהַלְלוּ ׀ אֶת־שֵׁם יְהוָה כִּי־נִשְׂגָּב שְׁמוֹ לְבַדּוֹ הוֹדוֹ

עַל־אֶרֶץ וְשָׁמָיִם׃

14 וַיָּרֶם קֶרֶן ׀ לְעַמּוֹ תְּהִלָּה לְכָל־חֲסִידָיו לִבְנֵי יִשְׂרָאֵל

עַם־קְרֹבוֹ הַֽלְלוּ־יָהּ׃

맛싸성경

8 불과 해일(우박)과 눈과 안개와 그분의 말씀을 이행하는 강한 바람과 9 산(들)과 모든 언덕들과 열매 (있는) 나무와 모든 삼나무들과 10 들짐승과 모든 가축들과 기는 것들과 날개 있는 새들과 11 땅의 왕들과 모든 열방들과 통치자들과 땅의 모든 재판관들과 12 젊은이와 처녀들과 소년들과 함께 한 노인들 (곧) 13 그들로 여호와의 이름을 찬양하게 하라. 이는 그분의 이름만이 홀로 높아지셨으며 그분의 위엄은 땅과 하늘 위에 있기 때문이로다. 14 주께서 자기 백성을 위하여 뿔을 높이시며 모든 그의 신실한 자(성도)들을 위한 찬양과 그분과 가까운 백성 이스라엘 자손들을 위한 찬양이 있게 하시도다. 할렐루야(여호와를 찬양하라).

NET

8 O fire and hail, snow and clouds, O stormy wind that carries out his orders, 9 you mountains and all you hills, you fruit trees and all you cedars, 10 you animals and all you cattle, you creeping things and birds, 11 you kings of the earth and all you nations, you princes and all you leaders on the earth, 12 you young men and young women, you elderly, along with you children. 13 Let them praise the name of the Lord, for his name alone is exalted; his majesty extends over the earth and sky. 14 He has made his people victorious and given all his loyal followers reason to praise—the Israelites, the people who are close to him. Praise the Lord!

149 WLC

1 הַלְלוּ יָהּ ׀ שִׁירוּ לַיהוָה שִׁיר חָדָשׁ תְּהִלָּתוֹ בִּקְהַל חֲסִידִים׃

2 יִשְׂמַח יִשְׂרָאֵל בְּעֹשָׂיו בְּנֵי־צִיּוֹן יָגִילוּ בְמַלְכָּם׃

3 יְהַלְלוּ שְׁמוֹ בְמָחוֹל בְּתֹף וְכִנּוֹר יְזַמְּרוּ־לוֹ׃

4 כִּי־רוֹצֶה יְהוָה בְּעַמּוֹ יְפָאֵר עֲנָוִים בִּישׁוּעָה׃

5 יַעְלְזוּ חֲסִידִים בְּכָבוֹד יְרַנְּנוּ עַל־מִשְׁכְּבוֹתָם׃

6 רוֹמְמוֹת אֵל בִּגְרוֹנָם וְחֶרֶב פִּיפִיּוֹת בְּיָדָם׃

7 לַעֲשׂוֹת נְקָמָה בַּגּוֹיִם תּוֹכֵחֹת בַּל־אֻמִּים׃

8 לֶאְסֹר מַלְכֵיהֶם בְּזִקִּים וְנִכְבְּדֵיהֶם בְּכַבְלֵי בַרְזֶל׃

9 לַעֲשׂוֹת בָּהֶם ׀ מִשְׁפָּט כָּתוּב הָדָר הוּא לְכָל־חֲסִידָיו הַלְלוּ־יָהּ׃

맛싸성경

1 할렐루야(여호와를 찬양하라). 여호와께 새 노래로 노래하라. 그분의 찬양은 신실한 자들의 회중에 있도다. 2 이스라엘로 자기를 만드신 분으로 즐거워하게 하고 시온의 아들들로 자기들의 왕을 기뻐하게 하라. 3 그들로 춤추고 그분의 이름을 찬양하게 하며 탬버린(소고)과 킨노르(수금)로 그분을 찬송하게 하라. 4 이는 여호와는 그의 백성을 (기쁘게) 받아주시고 그분은 겸손한 자를 구원으로 영화롭게 하심이라. 5 신실한 자(성도)들로 영광 가운데 기뻐하게 하고 그들의 잠자리에서도 그들로 기뻐 노래하게 하라. 6 그들의 목으로 하나님을 높여 찬양하게 하고 그들의 손에는 양날의 칼이 있으니 7 열방들에게 보복을 민족들에게 심판을 행하시며 8 왕들을 족쇄로 그들의 귀인들을 철고랑으로 결박하시며 9 그들에게 기록된 심판대로 행하시도다. (이것은) 그분이 그 모든 신실한 자들에게 (하시는) 장엄하심이라. 할렐루야(여호와를 찬양하라).

NET

1 Praise the Lord. Sing to the Lord a new song. Praise him in the assembly of the godly. 2 Let Israel rejoice in their Creator. Let the people of Zion delight in their King. 3 Let them praise his name with dancing. Let them sing praises to him to the accompaniment of the tambourine and harp. 4 For the Lord takes delight in his people; he exalts the oppressed by delivering them. 5 Let the godly rejoice because of their vindication. Let them shout for joy upon their beds. 6 May the praises of God be in their mouths and a two-edged sword in their hands, 7 in order to take revenge on the nations and punish foreigners. 8 The godly bind their enemies' kings in chains and their nobles in iron shackles, 9 and execute the judgment to which their enemies have been sentenced. All his loyal followers will be vindicated. Praise the Lord.

150 WLC

1 הַלְלוּ יָהּ ׀ הַלְלוּ־אֵל בְּקָדְשׁוֹ הַלְלוּהוּ בִּרְקִיעַ עֻזּוֹ׃

2 הַלְלוּהוּ בִגְבוּרֹתָיו הַלְלוּהוּ כְּרֹב גֻּדְלוֹ׃

3 הַלְלוּהוּ בְּתֵקַע שׁוֹפָר הַלְלוּהוּ בְּנֵבֶל וְכִנּוֹר׃

4 הַלְלוּהוּ בְתֹף וּמָחוֹל הַלְלוּהוּ בְּמִנִּים וְעוּגָב׃

5 הַלְלוּהוּ בְצִלְצְלֵי־שָׁמַע הַלְלוּהוּ בְּצִלְצְלֵי תְרוּעָה׃

6 כֹּל הַנְּשָׁמָה תְּהַלֵּל יָהּ הַלְלוּ־יָהּ׃

맛싸성경

1 할렐루야(여호와를 찬양하라). 그분의 성소에서 하나님을 찬양하고 그분의 거대한 궁창에서 그분을 찬양하라. 2 그분의 능력으로 (인하여) 그분을 찬양하고 그분의 지극히 위대하심으로 (인하여) 그분을 찬양하라. 3 양각 나팔을 울리며 그분을 찬양하고 네벨(하프)과 킨노르(수금)로 그분을 찬양하라. 4 탬버린(소고)과 춤으로 그분을 찬양하고 현악기와 관악기(피리)로 그분을 찬양하라. 5 소리 나는 심벌즈로 그분을 찬양하고 크게 울리는 심벌즈(제금)로 그분을 찬양하라. 6 호흡이 있는 모든 자들은 여호와를 찬양하라. 할렐루야(여호와를 찬양하라).

NET

1 Praise the Lord! Praise God in his sanctuary; praise him in the sky, which testifies to his strength! 2 Praise him for his mighty acts; praise him for his surpassing greatness! 3 Praise him with the blast of the horn; praise him with the lyre and the harp! 4 Praise him with the tambourine and with dancing; praise him with stringed instruments and the flute! 5 Praise him with loud cymbals; praise him with clanging cymbals! 6 Let everything that has breath praise the Lord! Praise the Lord!

COVENANT UNIVERSITY

Fulfilling the unfulfilled task through equipping missional servant leaders for Christ

목회자를 위한 설교학 석,박사 통합 과정 소개

1. 수업 진행

1) 월간 맛싸 31-33호를 듣기
2) 각권에 따라 원하는 본문을 원문에 근거하여 설교문을 작성하고 먼저 제출하기
3) 먼저 제출된 설교문을 컨설팅하고 완성된 설교문으로 설교하는 동영상(30분)을 촬영하여 제출하기

2. 수강 과목

1) 월간 맛싸 31호 13학점

(1) 요나(1-9회차) 2학점 - 설교 2편 작성 제출
(2) 요엘(10-21회차) 2학점 - 설교 2편 작성 제출
(3) 학개(22-28회차) 2학점 - 설교 2편 작성 제출
(4) 말라기(29-38회차) 2학점 - 설교 2편 작성 제출
(5) 오바댜(39-41회차) 1학점 - 설교 1편 작성 제출
(6) 하박국(42-51회차) 2학점 - 설교 2편 작성 제출
(7) 스바냐(52-61회차) 2학점 - 설교 2편 작성 제출

2) 맛싸 32호 13학점

(1) 시편 119편(1-22회차) 2학점 - 설교 2편 작성 제출
(2) 시편 120-134편(올라가는 노래)(23-38회차) 6학점 - 설교 6편 작성 제출
(3) 시편 135-150편(39-61회차) 5학점 - 설교 5편 작성 제출

3) 맛싸 33호 13학점

(1) 룻기 (1-13회) 3학점 - 설교 3편 작성 제출
(2) 에스더 (14-48회) 3학점 - 설교 3편 작성 제출
(3) 시편 101-106편(49-62회) 3학점 - 설교 3편 작성 제출
(4) 신약 자유 본문(월간맛싸QT 내용중) 4학점 - 설교 4편 작성 제출

4) 논문 6학점 혹은 신약 자유 본문 6학점

(1) 논문 작성시 - 6학점
(2) 신약 자유 본문(월간맛싸QT 내용중) 6학점 - 설교 6편 작성 제출

3. 학비

2023년 가을학기 (8/28-12/9일까지 15주)
입학자격-학사 및 목회학 석사(Mdiv) 이상 졸업자(M.A 졸업자는 가능)
신학 석사(ThM) 45학점; 박사(DTh) 54학점; 석박사 통합 39+54=93학점
한학기 15학점; 석사 190만원; 박사 286만원
이번학기 송금처 언약성경연구소(Covenant Bible Institution)
농협 355-4696-1189-93 공식구좌

성경 원문을 공부해서 자격증 혹은 정식 학위도 받을 수 있는 기회

Covenant University -http://covenantunversity.us

카버넌트 대학은 미국 캘리포니아의 대학교로 학사, 석사, 박사 학위를 수여할 수 있는 학교입니다. 국제기독대학 협의회 즉 사립 종교대학 공인 기관(ACSI, Num. 107355)이며 또한 통신으로도 공부를 할 수 있는 미국통신고등교육연합협의회(USDLA) 정식 멤버의 학교입니다. 또한 캘리포니아 주 교육국 코드(CEC 4739b 6)및 학교인가번호 1924981과 연방등록번호 33-081445에 따라 설립된 기독교 대학입니다. 장점은 한국에서 자신의 생활을 하면서 통신으로 공부와 과정을 다 마칠 수 있는 것이 장점입니다. 참고로 이 대학은 Stanton University 캠퍼스 대학교(WASC)와 같은 재단에서 운영하는 대학이기도 합니다. 그리고 한국의 월간 맛싸-언약성경협회, 연구소와 MOU를 맺어서 성경원문으로 학위를 주는 과정입니다. 원문성경으로만 공부하는 것은 세계최초의 일입니다. (그럼에도 혹 ATS, AHBC, TRACS등의 자격을 필요로 하는 분들은 미국 현지에 유학 가서 거주하면서 공부하는 코스로 하시기 바랍니다.)

월간 맛싸(원문성경 전문지)와 연계한 학위과정

31호-13학점; 32호 14학점; 33호 13학점; 34호 12학점-현재까지 52학점 개설
(선지서; 시가서; 역사서; 신약-바울서신)

2023년 가을학기 (8/28-12/9일까지 15주)
입학자격-학사이상 국제 정식학위 소지자
신학 석사(ThM) 45학점; 박사(DTh) 54학점; 석박사 통합 39+54=93학점
한학기 15학점; 석사 190만원; 박사 286만원
이번 학기 송금처 언약성경연구소(Covenant Bible Institution)
농협 355-4696-1189-93

왕초보 히브리어 펜습자
알파벳 따라쓰기

저자 – 허동보

Covenant University, CA
수현교회 담임목사
AP 부모교육 국제지도자
히브리어성경읽기 강사

210X297mm / 62페이지 / 7,500원

히브리어, 어렵지 않습니다.
단지 익숙하지 않을 뿐입니다.

모든 언어는 문법보다 더욱 중요한 것이 있습니다. 바로 읽고 쓰는 것입니다.

기본에 충실합니다.

이 책은 단순합니다. 다른 알파벳 교재와 달리 읽고 쓰는 것에만 집중했습니다.
쓰는 순서, 자음과 모음의 발음, 읽는 방법 등 정말 기본적이고 기초적인 것에
집중을 했습니다.

남녀노소 누구나 할 수 있습니다.

모든 언어는 왕도가 없습니다. 처음에 말과 글을 배울 때 복잡한 문법부터 공부하는
사람은 없습니다. 이 책은 어린이, 청소년을 비롯하여 히브리어에 관심만 있다면
모든 연령이 쉽게 배울 수 있도록 집필되었습니다.

다양한 미디어로 공부가 가능합니다.

책 속에는 노트가 더 필요한 분들이 직접 인쇄할 수 있도록 QR코드를 제공하고
있습니다. 알파벳송은 따라부를 수 있도록 영상 QR코드를 제공합니다. 그 외
다양한 미디어 학습을 체험하실 수 있습니다.

월간 맛싸의 발전과 함께 하실 동역자님을 모십니다.

✓ 평생이사: 월10만원 혹은 연200만원 일시불 / 후원이사: 연10만원

✓ 후원특전: 월간 맛싸와 언약성경연구소 발행 신간을 보내 드리며,

　　　　　세미나와 본사 발전회의에 초대됩니다.

✓ 후원계좌: 농협 302-1258-5603-71 (예금주: LEE HAKJAE)

✓ 정기구독: 1년 6회 90,000원 / 2년 12회: 150,000원

✓ 정기구독 문의 및 안내: 070-4126-3496

정기구독신청서

20   년 월 일

신청인	이름			생년월일	
	주소				
	전화	자택	(　) －	출석교회	
		회사	(　) －	직분	담임목사 / 목사 / 전도사 / 장로 / 권사 / 집사
		핸드폰	(　) －	E-mail	@
수취인	이름				
	주소				
	전화(자택)			회사	핸드폰
신청내용	신청기간	20　년　월 ~ 20　년　월			
	구독기간	□ 1년　　　□ 2년　　　□ 3년			
	신청부수	부			
결제방법	카드	· 카드종류: 국민, 비씨, 신한, 삼성, 롯데, 현대, 농협, 씨티, VISA, Master, JCB			
		· 카드번호: 　　－　　　－　　　－　　　· 유효기간: 　/			
		· 소유주: 　　　　　　　　　· 일시불/할부　개월			
	온라인				
	자동이체	CMS			
메모					

정기구독 문의 및 안내 070-4126-3496

월간 맛싸